# LE PRÉDATEUR
## DU FLEUVE

### Le marinier

© 2014  Pierre Cusson
© 2014  Éditions Pratiko inc

**1665, boul. Lionel-Bertrand**
**Boisbriand (Québec)  J7H 1N8**

ISBN  978-2-924176-29-0

Édition électronique : La boîte de Pandore
Illustration de la couverture: La boîte de Pandore

**Dépôt légal : 1ᵉʳ trimestre 2014**
**Bibliothèque nationale du Québec**
**Bibliothèque et Archives Canada**

*Imprimé au Canada*

**PIERRE CUSSON**

# LE PRÉDATEUR
# DU FLEUVE

# Le marinier

# Chapitre 1

Fin juin. Quelle belle période de l'année !

Le moment que beaucoup de gens attendent impatiemment pour savourer des vacances bien méritées.

Le moment où le soleil daigne enfin déployer toute sa chaleur en nous offrant de surcroît ses plus longues et réconfortantes apparitions dans un ciel limpide, épuré par la fraîcheur d'un printemps qui vient de se terminer.

Le moment tout désigné pour l'étudiant de goûter à quelques jours de repos avant d'entreprendre son travail d'été, indispensable aux paiements des frais reliés à l'instruction qu'une société de grippe-sous refuse de rendre totalement gratuite.

C'est ce que Roxanne Masson a décidé de faire, accompagnée de sa mère Barbara, aussitôt après le dernier examen de sa fin de session. Rien d'extravagant. Rien de compliqué. Rien de déterminé, sauf de se reposer en communiant avec la nature.

Deux jours entiers à se prélasser au soleil, ou à lire sous les arbres, ou à regarder les vagues du St-Laurent s'échouer en symphonie sur les berges de l'Île du Passant.

Deux jours entiers à être déconnectées, ou presque, de la civilisation pour panser les plaies de l'esprit trop longtemps assujetti au stress et à ses incitatifs.

Deux jours de rêve dont malheureusement, plus de la moitié de l'un d'eux s'est déjà abîmée dans le temps à une vitesse déconcertante sans possibilité de pouvoir la freiner.

* * *

Aussitôt après le souper, à dix-sept heures, l'hôte de l'endroit, qui ne fait sentir sa présence que lors de la préparation des repas, a quitté l'île pour affaires. De retour dans quelques heures, a-t-il dit après avoir fait les recommandations d'usage. Elles l'ont regardé s'éloigner sur le fleuve avec soulagement.

La liberté totale.

Le temps est superbe. Aucun vent ne vient troubler

la paix dans les nombreux arbres qui entourent le petit chalet de bois. N'eût été des vagues laissées par le sillon des bateaux et autres véhicules nautiques, le fleuve aurait ressemblé à un véritable miroir.

Le décor est enchanteur et invitant. Pas un seul nuage dans le ciel, que des mouettes qui laissent planer leur ombre à la surface de l'eau. L'odeur marine est envoûtante et vient effleurer le subconscient des deux femmes, les invitant à une certaine forme de délinquance.

— Ça te dit d'aller sur le fleuve en canot ?

Roxanne hésite quelques secondes, songeant à ces fameuses recommandations du propriétaire sur la prudence qui s'impose en tout temps lorsqu'on est à proximité d'un fleuve tel le St-Laurent. En plus, elle ne sait pas nager, comme sa mère d'ailleurs. Par contre, cette soirée semble magique ; il est impensable que quelque chose de fâcheux puisse arriver.

— Oui. Allons-y.

Les deux femmes quittent l'ombre du grand frêne qui les a protégées du soleil depuis quelques heures, puis empruntent le petit sentier de sable menant au quai. À la droite de ce dernier, une espèce de garage flottant pour bateau y est amarré, ondulant au gré des vagues qui viennent mourir sur la berge.

Sur l'un des murs intérieurs de l'abri, des gilets de sauvetage de toutes grandeurs sont accrochés et deux d'entre eux portent des noms : Barbara et Roxanne. Leur hôte a tout prévu.

Les deux femmes s'en saisissent et les enfilent. Flottant au bout d'un filin de nylon, un canot pneumatique se laisse bercer tout doucement.

Barbara fait un sourire complice à l'intention de sa fille et aussitôt elles se ruent sur l'embarcation. L'immense porte à l'extrémité du garage est grande ouverte et, très rapidement, le canot pneumatique quitte son refuge.

Quelle sensation que de se sentir glisser en toute liberté sur les eaux ! Barbara est vraiment heureuse d'être là, en compagnie de sa fille qu'elle a à peine vue grandir.

Pourquoi avoir attendu tant de temps avant de réaliser ce rêve ? Et surtout, pourquoi avoir attendu qu'une séparation avec son mari soit la motivation principale pour vivre ces instants ?

Elle connaît très bien la réponse à ces questions.

Les médicaments et l'alcool sont les vrais responsables de cet état léthargique dans lequel elle a erré toutes ces années.

Même sans expérience, les deux femmes parviennent, au bout d'une minute, à pagayer de façon fort appréciable et à diriger adéquatement l'embarcation qui s'éloigne lentement de l'Île du Passant.

— Je te l'avais dit qu'on y parviendrait.
— C'est génial !
— Une sensation vraiment agréable. Pour une fois, je me sens enfin vivre.

Roxanne regarde tendrement sa mère. Elle semble comblée comme elle ne l'a jamais été. Trop longtemps sous l'emprise d'un mari violent, Barbara n'a jamais pu goûter réellement aux plaisirs de la vie, préférant se réfugier dans un monde irréel à l'aide de palliatifs. Se retrouver seule avec sa fille est un véritable cadeau du ciel.

— Maman, je te promets que nous reviendrons.
— Pas de projet, ma chérie. Mieux vaut apprécier le moment présent. Je ne veux pas gâcher cet instant

en pensant au futur ou au passé. J'ai trop souvent été déçue et je ne tiens pas à ce que ça se reproduise.

— Tu as raison. Ce moment est trop précieux pour l'assombrir par de mauvais souvenirs.

À l'horizon, le soleil descend de plus en plus, mariant ses rayons enflammés à ceux de son propre reflet. L'Île du Passant n'est à présent qu'un petit point perdu dans l'immensité fluide. Avec l'approche de la nuit, l'activité sur le fleuve a diminué considérablement et le moment du retour approche, malheureusement. La notion du temps a échappé à Barbara qui s'était pourtant promis de revenir plus tôt à leur oasis, avant même que l'astre du jour n'agonise. L'euphorie dans laquelle elle se trouve en est responsable, mais elle ne peut néanmoins lui en vouloir.

En faisant un effort pour pagayer un peu plus rapidement, elles arriveront avant que la noirceur ne les enveloppe totalement.

Très loin devant, une petite lueur flotte sur le fleuve en se dirigeant vers l'île.

C'est sans doute leur hôte qui revient au bercail pour la nuit et, en ne les apercevant pas, il va sûrement s'inquiéter de leur absence. Pas moyen de le prévenir et surtout de le rassurer. Partie sans réfléchir, Barbara a omis une règle de prudence élémentaire, apporter son cellulaire, un oubli qui lui arrive très rarement.

Les deux femmes distinguent de moins en moins ce qui les entoure avec les ténèbres qui se font de plus en plus envahissants. À plus d'un kilomètre sur la gauche, un chapelet de lumières suit la rive du fleuve. Si jamais elles perdent de vue leur destination, elles pourront tout de même se rendre dans l'un de ces villages.

— Regarde ! Il revient.

En effet, à peine dix minutes après son arrivée, le bateau quitte l'île. Elles sont sauvées ! Quoique, en vérité, elles ne sont pas réellement en danger. Il n'aurait suffi que d'une quinzaine de minutes encore pour atteindre le quai.

Les eaux sombres qui entourent l'embarcation ont néanmoins quelque chose d'effrayant. Même si, à cet endroit, la profondeur n'est pas extrême, elle l'est assez pour se noyer. Barbara ne veut pas y penser et refuse de laisser entrer dans sa tête tout scénario au dénouement tragique.

— Il se dirige vers nous.

— Tant mieux. Il nous a sûrement repérées.

— J'ai l'impression que nous allons nous faire sermonner.

— Pas question d'accepter un quelconque reproche. Nous payons pour notre liberté, alors nous en profitons, c'est tout.

— Tu as encore raison, maman. Il n'a rien à nous interdire. Nous sommes majeures et vaccinées, donc en mesure de prendre nos propres décisions sans avoir à rendre de comptes à qui que ce soit.

À quelques centaines de mètres, le bateau ralentit son allure. Les deux femmes sont éblouies par le phare puissant qui balaie la surface du fleuve. Il est encore un peu trop loin pour lui crier quelque chose, alors Roxanne agite les bras au-dessus de sa tête pour que leur hôte les repère. Ça y est, il remet les gaz à fond. Dans moins d'une minute elles pourront monter à bord du bateau et retourner sur l'île pour y apprécier toute sa quiétude.

— Mais que fait-il ? Il devrait ralentir. Il fonce droit sur nous.

C'est impossible que leur présence n'ait pas été détectée puisque le puissant faisceau lumineux est toujours dirigé sur elles.

Terrorisées, les deux femmes crient à fendre l'âme. Leurs regards apeurés se déplacent entre la proue du bateau et les eaux noires du fleuve.

Dans un dernier geste de désespoir, Barbara se lève en agitant frénétiquement les bras, pendant que Roxanne pleure, hurle, se couvre le visage de ses mains crispées et tremblotantes.

Le vrombissement du moteur est assourdissant. Même les jets d'eau projetés de chaque côté de l'embarcation folle ont quelque chose de terrifiant. Le phare aveuglant ressemble à l'œil d'un monstre qui surgit des profondeurs de la nuit pour les avaler.

Tout à coup, c'est l'impact !

Barbara est projetée dans les airs. Sa tête heurte violemment la coque du bateau, puis son corps retombe, inconscient, dans les flots. Dans un dernier sursaut d'énergie, Roxanne s'élance dans le fleuve, au moment même où la proue est sur le point de l'atteindre. Inexpérimentée, elle n'a pas fixé correctement sa ceinture de sauvetage qui, aussitôt, est emportée par les vagues. Envahie par la panique, la malheureuse jeune femme tente désespérément de maintenir la tête hors de l'eau en se débattant au maximum, mais ses gestes n'ont aucune coordination et, très rapidement, elle se sent glisser vers le fond. Au-dessus d'elle, une ombre cache momentanément la lueur intense du phare, puis tout redevient noir. La peur est à son paroxysme. Ses yeux exorbités roulent dans tous les sens.

Sa dernière chance : Crier !

Des milliers de bulles sont expulsées de sa bouche, puis, en inspirant pour crier de nouveau, elle sent l'eau froide du fleuve qui s'infiltre en trombe dans son corps. Tout est perdu. C'est la fin. Ses mouvements cessent tout à coup, les traits de son visage se figent. Là-haut, la lumière est réapparue, mais elle n'a plus la force de chercher à l'atteindre.

Encore cette ombre qui bouge au-dessus d'elle.

Sa vision devient de plus en plus floue. Elle se sent tomber dans un gouffre sans fond. Tout tourbillonne. Plus qu'un petit point lumineux ne parvient à entrer dans ses yeux dont les pupilles sont dilatées au maximum.

Puis tout s'éteint alors que sa vie est à la dérive. Au même moment, la sensation de s'élever à toute allure vers le ciel s'empare d'elle. Le décor défile à une vitesse vertigineuse. Elle est entourée d'une multitude de bulles qui flottent allègrement, caressant sa peau parcourue par les derniers frémissements.

Un rayon de soleil déchire le néant pour éclairer son chemin, puis l'immensité fluide dans laquelle elle flotte s'évapore brusquement.

Pendant un long moment, Roxanne a l'impression que sa poitrine veut s'ouvrir pour permettre à ses poumons d'exploser. La douleur est insupportable. Ses bras, ses jambes, son corps entier tremblent.

Sur son thorax, des mains. Des mains qui essaient de l'écraser. Dans sa bouche, un souffle chaud. Un souffle qui tente de la pénétrer jusqu'au plus profond de son corps.

Elle toussote, se cabre, crache, mais son coeur épuisé s'immobilise à nouveau pendant de longues secondes avant d'être réanimé.

L'air qui parvient à ses poumons lui donne la sensation d'être transpercée par des centaines d'aiguilles s'acharnant sur ses frêles membranes. La douleur est atroce. Et ces mains qui ne cessent de la marteler. Ce souffle qui s'entête à s'infiltrer en elle.

Un long filet d'eau jaillit brusquement de sa bouche. Tout tourne autour d'elle, un visage d'homme, un aviron, des cordages, le corps d'une femme, une ancre, des mains puissantes, sa valise, des étoiles.

Quelques toussotements. Des pleurs. Un goût

exécrable dans sa bouche. Elle vomit. Puis, la vision d'une ombre humaine s'éteint d'un seul coup devant ses yeux. Elle sombre dans l'inconscience.

\* \* \*

Roxanne ouvre enfin les yeux. Elle a froid. L'intérieur de son corps lui fait encore extrêmement mal. Le plancher est stable, rien ne bouge. Mais où diable est-elle ? Dans la pénombre, elle aperçoit un mur devant ses yeux, ce qui indique qu'elle n'est plus sur le bateau. Combien de temps est-elle restée inconsciente ? Elle ne peut le dire, mais l'important est d'être encore en vie. Sa mère ! Où est sa mère ? Le vague souvenir de son corps étendu au fond du bateau refait surface.

Quel bonheur, elle a été sauvée, elle aussi !

Tout à coup, des gémissements attirent son attention. Lentement elle tourne la tête vers la gauche. Au fond de la pièce, une lampe diffuse une lumière jaunâtre qui éclaire à peine les alentours. Pourtant le faisceau est suffisant pour que la jeune femme parvienne à distinguer clairement la scène qui se déroule à proximité.

Sa respiration s'arrête instantanément. Son cœur s'affole et fait frémir ses entrailles. Ses membres sont paralysés. Elle ne peut en croire ses yeux qui se noient aussitôt de larmes.

Barbara est étendue sur une vieille table étroite. Elle est complètement nue, les jambes écartées. L'un de ses bras est brisé, de telle sorte que la pointe d'un os transperce sa peau. Tout son corps est parcouru de convulsions. Des secousses répétées font tressaillir ses seins de même que sa tête qui roule légèrement de gauche à droite, par saccades.

Roxanne, dont les émotions ont été grandement mises à l'épreuve, ne peut en tolérer davantage. Elle tente d'ouvrir la bouche pour crier, mais ses lèvres restent soudées. Quelque chose les retient.

L'horreur s'empare définitivement d'elle lorsqu'elle réalise que ses mains et ses pieds sont retenus au plancher par des liens. Elle est prisonnière !

Instinctivement son regard revient vers Barbara.

Cette fois, même à travers ses larmes, elle distingue un autre acteur dans la scène. Un homme, dont le visage demeure dans l'ombre, se tient debout entre les cuisses écartées de sa mère et la pénètre violemment. Chaque coup porté fait tressauter le corps entier de

Barbara qui, curieusement, n'offre aucune résistance.

Soudain sa tête roule complètement sur le côté, de façon à entrer dans l'angle du faisceau jaunâtre de la lampe. Roxanne doit ravaler la vomissure qui lui monte à la gorge. Les yeux de Barbara sont grands ouverts, sans expression, livides. Sur son front, une profonde entaille entourée d'une large tache de sang coagulé. Au coin de ses lèvres bleuies et entrouvertes, un filet rougeâtre apparaît.

De toute évidence, elle est morte.

Les gémissements et les halètements du violeur se font de plus en plus intenses. Le corps de Barbara est secoué et ballotté dans tous les sens. Puis tout à coup, un grand cri.

L'homme a atteint le paroxysme de son plaisir. Roxanne aurait voulu hurler à son tour.

Hurler d'horreur. Hurler de rage, de dégoût, mais rien ne traverse le ruban adhésif qui lui scelle les lèvres pour ne la restreindre qu'à des grognements de détresse.

Elle pleure à chaudes larmes. C'est la seule chose que la situation lui permette de faire. Un sentiment de culpabilité s'empare de son esprit. Pourtant, elle n'y peut rien. Personne n'y peut rien, d'ailleurs.

Frustrée par cet état d'impuissance, elle se débat,

grogne, pleure, se frappe la tête sur le plancher, puis ses yeux se reposent sur le corps inerte de Barbara.

L'homme est toujours là, entre ses cuisses. Il ne bouge plus. Pendant de longues minutes il demeure ainsi, probablement pour récupérer avant de se lancer à l'assaut de sa deuxième victime.

Roxanne voit les mains du maniaque qui glissent sur les jambes de Barbara, sur son pubis, son ventre, ses seins qu'il caresse avec une extrême lenteur. Quelle indécence !

Tout à coup, l'imprévisible.

Le monstre se penche sur Barbara et lèche ses seins, lentement au début, mais après quelques secondes, avec fougue. Roxanne se tord dans ses liens tellement la scène la dégoûte et parce que l'assaillant ne fait preuve d'aucun respect pour le cadavre de sa mère. La bouche de l'homme se referme sur l'un des mamelons et la jeune femme l'entend grogner de satisfaction.

Puis, sans prévenir, il se retire brusquement, arquant le dos vers l'arrière et levant le menton, ce qui lui donne l'allure d'un loup victorieux après un combat avec sa proie. Un filet de sang coule du sein blessé de Barbara. Le détraqué tourne lentement la tête en direction de Roxanne tout en mâchonnant le mamelon arraché du corps de l'infortunée. Dans ses yeux démens et dans son sourire machiavélique, maculé du sang de sa mère, la jeune femme peut déceler toute la folie que renferme le cerveau de cet être abominable.

Roxanne est sur le point de craquer. L'épouvante a atteint son apogée au point où, d'un moment à l'autre, elle peut sombrer dans la folie.

L'horreur l'entraîne dans un état hystérique et, de toutes ses forces, elle se frappe volontairement le crâne sur le plancher pour perdre conscience le plus rapidement possible. De cette façon, à l'instar de sa mère, elle ne ressentirait pas les sévices que lui infligerait l'abject prédateur.

Pourtant, malgré les filets de sang coulant de ses oreilles qu'une lésion interne a provoqués, la jeune femme ne parvient toutefois pas à sombrer dans le néant. La lueur jaunâtre de la lampe s'atténue lentement, assombrissant la pièce jusqu'à la rendre morbide.

Tout à coup, devant ses yeux, Roxanne voit le visage du monstre.

— À ton tour maintenant !

# Chapitre 2

Le petit village de Du Vallon est en effervescence comme d'habitude lorsqu'arrive la saison estivale venant remplir les goussets de bon nombre de propriétaires de commerces. Il règne ici une telle joie de vivre que cela en est presque déconcertant. C'est à croire que tous les gens de la place sont heureux. Hypocrisie, sûrement, pour attirer un maximum de touristes. Impossible que tous les citoyens d'un village soient heureux. Il y en a toujours qui détestent leur petit coin de pays mais qui n'ont pas le choix d'y rester. On a toujours le choix. L'humain est ainsi fait, il dit très souvent qu'il n'a pas le choix pour se cacher derrière son indécision, ou par manque de courage.

Du Vallon est tout de même un village où l'on ressent une réelle satisfaction envers les structures municipales mises en place par le maire et ses conseillers. À voir les visages illuminés de sourires qui déambulent partout dans les rues, on devrait changer le nom du village pour : L'Éden. Ironiquement, le nom a déjà été proposé, mais rejeté à l'unanimité par les élus.

Quoi qu'il en soit, l'endroit est agréable à regarder et il fait bon y vivre. Bien sûr il y a, comme partout ailleurs, des voleurs, des escrocs, des profiteurs, des commères, etc... Un village normal, quoi ! C'est probablement que les gens d'ici sont insouciants ou ne voient que le bon côté de la vie. Un exemple pour les autres patelins où l'on rencontre trop souvent des visages de carême.

*  *  *

À la marina du village, l'atmosphère est tout aussi chaleureuse, malgré le fort achalandage provoquant un va-et-vient presque incessant. Souriants, de nombreux marins d'eau douce s'affairent à astiquer leur bateau dans le but de les préparer à un éventuel départ sur le fleuve, en quête de sensations fortes.

Plus haut, juché sur un terrain surélevé à la droite

du grand quai qui sépare les eaux, se dresse un resto-bar au nom évocateur : Le Marinier. C'est là que se rassemblent marins et pêcheurs, touristes et curieux, dignitaires et traînards. Bref, une faune hétéroclite ayant comme point commun la proximité du St-Laurent comme habitat, et surtout le profond désir de se prévaloir au maximum de ses bienfaits combinés à sa générosité.

Même les membres du corps policier du village viennent ici pour manger un morceau et, souvent, pour s'envoyer en cachette un verre derrière la cravate. Pas de boisson en service. Mon œil !

Sylvain Letendre, dernier arrivé dans la police de Du Vallon, ne se laisse pourtant pas tenter par les bonnes choses de la vie et respecte à la lettre les règlements. Il est également un vrai petit emmerdeur pour les faire observer, ce qui est loin de plaire à la majorité des clients de la marina.

À de nombreuses occasions, on l'a aperçu faire le guet en bordure de la route, tout juste à côté de la sortie de la marina, pour épingler quelques fêtards, non pas pour faire respecter la loi comme il le prétend, mais plutôt pour attirer sur lui la reconnaissance de son supérieur.

Gaston Meunier, maire du village et habitué de

la marina, a promis à Jack, propriétaire de l'endroit, de rencontrer le jeune policier fougueux et de le réprimander à propos de son zèle un peu trop débordant.

« Je vais le mettre à sa place le jeunot », avait-il dit, il y a plus de deux semaines.

En réalité, Letendre n'est pas un dur. L'important, pour lui, est de démontrer à son supérieur, Eugène Savoie, qu'il a l'étoffe d'un vrai policier et qu'il peut rendre service à la population en étant pointilleux sur les règlements. Il est prêt à faire n'importe quoi pour obtenir du gallon, ce qui ne plaît pas réellement à ses collègues de travail qui ont déjà passé cette période de noviciat et qui préfèrent vivre de façon plus harmonieuse avec les villageois.

Outre ce petit inconvénient, Meunier est très fier de ses policiers. Généralement, l'ordre est respecté dans son village, ce qui lui importe le plus. D'ailleurs, il ne se gêne pas pour en vanter la quiétude lors des réunions des maires de la région. Certains en sont même agacés.

\* \* \*

Il n'est pourtant que dix heures du matin et déjà la salle principale du Marinier est occupée par une quinzaine de personnes, au grand bonheur de Ginette Miron, l'épouse de Jack, que tout le monde appelle Gigi. Une femme de corpulence imposante et d'une gentillesse légendaire qui ne manque jamais sa chance de dérider l'atmosphère quand celle-ci est trop tendue. Enfin, il lui arrive de temps à autres de sortir de ses gonds, mais jamais sans de bonnes raisons.

— Bonjour, ma belle Gigi.

Un immense sourire aux lèvres, Ginette se retourne vers celui qui vient de prendre place au bar. Sa voix lui est familière et c'est un plaisir pour elle de l'entendre presque jour après jour.

— Bonjour, bel homme. Toujours aussi charmeur !

Malgré ses trente-six ans, Carl Lévesque n'a pas encore rencontré la femme qu'il lui faut. Par contre, le fait d'être célibataire lui permet de jouir de toute cette liberté qui s'offre à lui. On dit même que plusieurs femmes du village, y compris des femmes mariées, ont pu constater à quel point Carl est un bon amant. Ce ne sont pourtant que des rumeurs et aucune confirmation ni témoignage n'a été rapporté pour les corroborer.

Lui adressant également un grand sourire, il regarde la tenancière lui préparer un café, rehaussé d'un peu de brandy, bien sûr.

— Mon cœur est en détresse de savoir que jamais je ne pourrai posséder ton corps.

Leurs rires résonnent dans la grande salle, se répercutant sur chaque mur, faisant se retourner les têtes.

— Crois-moi, tu en aurais pour ton argent, mon beau.

Tout en prononçant ces paroles, Ginette place ses mains sous ses énormes seins et les soulève légèrement dans le but d'ajouter une preuve à ses dires farfelus.

Carl se tord de rire sur son tabouret. Au même moment, Jack, qui passe par là, s'installe derrière lui et pose une main sur son épaule.

— Eh! Fiston! Tu regardes mais tu ne touches pas. Compris!

Son air sérieux pourrait laisser croire que Jack est réellement fâché, mais Carl sait très bien qu'il n'en est rien. D'ailleurs, ce n'est pas la première fois que ce genre de scène se produit. Chaque fois ils en retirent tous un immense plaisir à se taquiner de la sorte. Comme dit souvent Ginette : « Faut rire le plus possible avant que le gouvernement n'y mette une taxe ».

— Tu as des projets pour aujourd'hui, fiston ?
— Pas vraiment. Je vais aller chez moi pour faire quelques travaux, je crois.
— Si tu as besoin d'aide, tu me le dis. OK ?

Carl est le fils que Jack et Ginette n'ont jamais eu. Malheureusement stérile, le pauvre homme a longuement songé à l'adoption d'un fils. Encore là, le couple ne pouvait supporter la trop longue attente avant que leur souhait ne se réalise. C'est pourquoi, après quatre ans de déception, ils ont annulé la démarche d'adoption. Il y a un peu plus de dix ans, quand Carl est arrivé, ils sont tombés aussitôt sous son charme et ont développé une grande affection envers lui.

— Vous avez assez de travail ici. Ce serait plutôt à moi de vous aider.

Une dernière tape d'amitié sur l'épaule de Carl et Jack s'éloigne pour accueillir Rémi Chouinard qui fait son entrée en compagnie de son épouse, Margaret Dickson.

D'un geste de la main, Lévesque souhaite la bienvenue au couple avec lequel il a également de bonnes relations. Surtout avec Margaret.

— Tu as remarqué que Réal n'a pas l'air dans son assiette depuis quelque temps ?

Du menton, Ginette indique à Carl l'endroit où est assis Réal Crevier. Tout au fond de la salle, seul à une table.

— Oui, j'ai remarqué. Il est de plus en plus bizarre, le pauvre Réal. Il ne s'est jamais réellement remis du départ de sa petite amie.

Par la fenêtre située près de la table, Crevier laisse vagabonder son regard sur les eaux du fleuve. Ses pensées sont complètement perdues dans ses rêves, mais personne ne saurait dire à quoi ressemblent ces derniers. Il est plutôt du genre renfermé et ne fait confiance à quelqu'un que très rarement. Néanmoins, depuis quelque temps, des gens racontent qu'il a été vu en compagnie d'une jeune femme.

— Tu étais pourtant son meilleur ami !
— Exact.

Carl fait une pause avant de continuer. Ginette n'y est pas allée de main morte avec le brandy et il grimace légèrement en avalant une gorgée de café.

— Tu crois encore que je suis responsable du départ de Marjo ?

Ginette se redresse aussitôt, visiblement déçue des dernières paroles de Carl. Ce dernier devrait pourtant savoir qu'elle a une confiance aveugle envers lui et que jamais elle ne mettrait en doute ses paroles.

— Pas du tout. Tu m'as déjà dit que tu n'avais rien à voir avec son départ. Et je te crois.
— Mais lui ne me croit pas. Il est persuadé que je l'ai séduite.

Carl reste pensif un long moment. Une foule de souvenirs remontent dans sa mémoire. La belle

Marjo était une femme à faire rêver, dont le corps de déesse faisait naître le désir de beaucoup d'hommes, y compris lui-même.

Ginette s'en veut de lui avoir parlé de Crevier. Après tout, ça fait partie du passé puisque le départ de Marjo remonte à deux ans déjà.

— Allons ! Cesse de te tourmenter avec cette histoire. La journée est trop belle pour ressasser ces mauvais souvenirs.

Carl sourit. Gigi a raison, mieux vaut songer à autre chose même si, au fond de lui, il ne s'agit pas de mauvais souvenirs. De toute façon, il ne peut rien changer au passé, et ce que Crevier peut penser de lui le laisse totalement indifférent.

— Tu es un ange, ma belle Gigi.
— Avoue que ça prendrait tout un nuage pour me supporter.

Des éclats de rire fusent de part et d'autre, faisant encore se retourner les têtes de la clientèle de l'établissement.

C'est le sourire accroché au visage que Carl se

lève et se dirige vers la sortie. Comme l'a si bien dit Ginette, la journée est très belle. Mieux vaut en profiter pour aller à l'extérieur.

# Chapitre 3

Le soleil plombe sans remords sur la tête à demi dégarnie de Simon Therrien qui sue à grosses gouttes. Les deux longues passerelles escortant le petit canal menant à l'embarcadère ont besoin d'être réparées.

Préposé à l'entretien de la marina depuis plusieurs années, Therrien n'a pas d'autre choix que de suivre les ordres du patron. Non pas que Jack soit un patron trop exigeant, loin de là, mais lorsqu'il y a un travail à faire, il aime bien que celui-ci soit effectué dans un délai raisonnable.

Dernièrement, Simon a passé plus de temps à discuter avec les pêcheurs et les amateurs de plein air qu'à vaquer aux occupations pour lesquelles il est payé.

Le résultat de sa nonchalance est qu'à présent, il a plusieurs travaux en retard à effectuer, en plus de répondre aux clients qui réclament des appâts ou des articles de pêche au comptoir de la petite pourvoirie aménagée dans une partie du sous-sol du Marinier.

Therrien a aussi la responsabilité de faire l'entretien des embarcations de location qui en ont, soit dit en passant, souvent besoin puisqu'elles sont généralement utilisées par des gens inexpérimentés.

À quelques reprises, il a mentionné à Jack que ses charges étaient trop lourdes et qu'un peu d'aide serait bienvenue car, si la situation ne change pas, il se verra dans l'obligation de se chercher un autre emploi.

Miron ne s'inquiète pas des menaces de Therrien qui ne sont en fait que des paroles en l'air pour attirer l'attention et un peu de pitié de la part de son entourage. Il aime trop ce travail pour le quitter aussi froidement qu'il le prétend. En plus, il s'est fait beaucoup d'amis ici, pour lesquels il a une grande sympathie et dont la présence est indispensable afin d'entretenir son désir de sociabilité.

Mais sa plus grande motivation pour demeurer sur place est l'espoir qu'un jour il en devienne le patron. Jack a atteint la soixantaine et ça lui arrive de plus en plus souvent de penser à vendre. Aussitôt que Ginette lui donne le feu vert, il se cherche un acheteur. Il aurait bien aimé que Carl soit son successeur, mais ce dernier est catégorique : Pas question pour lui de se restreindre à demeurer sur terre alors que les eaux du fleuve ont tant à lui offrir.

Une ombre vient se détacher sur les planches que Simon s'apprête à remplacer. Surpris, il se retourne brusquement pour voir qui lui arrive ainsi dans le dos.

C'est Julien Nault, un pauvre demeuré d'une trentaine d'années. En fait, son état est plutôt le résultat d'un traumatisme psychique, alors qu'enfant, son père et sa mère se sont noyés sous ses yeux lors d'une excursion de pêche en famille. Il ne s'en est jamais remis, d'autant plus que par la suite, il a été élevé par une tante marâtre qui lui a fait subir plusieurs sévices et les séquelles de ces derniers sont permanentes.

— Salut Julien.

Les mains derrière le dos, les yeux fixes, Nault le regarde, aussi imperturbable qu'un soldat en faction devant un édifice gouvernemental.

— Tu vas à la pêche aujourd'hui ?

Cette fois, Julien réagit. Il bouge frénétiquement

la tête de gauche à droite tout en laissant entendre des sons gutturaux incompréhensibles. L'usage de la parole lui a été retiré au moment même où les eaux du fleuve ont enlevé la vie de ses parents. Depuis, il n'émet que des sons inintelligibles dont lui seul connaît la signification exacte.

Néanmoins, quelques habitués finissent par comprendre, ou plutôt par deviner, le sens de ses propos, sans toutefois en être vraiment certains.

Même s'il lui arrive de temps à autre de partir sur le fleuve, il n'en reste pas moins que ce dernier lui fait extrêmement peur, tellement que certains jours, lorsque son état d'esprit se trouve à un niveau plus bas que d'ordinaire, il panique au simple fait de voir quelqu'un s'engager sur les eaux.

— Bon, ça va, j'ai compris. Alors, si tu veux m'aider, je te paierai une grosse bière ce soir.

L'alcool faisant partie des faiblesses du pauvre homme, Therrien en profite parfois pour se procurer de l'aide à bon marché, peu soucieux des conséquences fâcheuses qu'engendre l'ivresse chez une personne dont le cerveau handicapé peut avoir des réactions imprévisibles.

— Tu vois les planches qui sont empilées près de la remise? Apporte-les ici. C'est tout ce que tu auras à faire.

Pour la première fois, Nault esquisse un semblant de sourire, découvrant une bouche presque entièrement édentée, puis fait volte-face brusquement et, avec une vitesse dont on ne l'aurait pas cru capable, il s'élance vers la remise.

— Pas besoin de courir!

Il n'écoute plus. Son esprit absorbé par la tâche à accomplir ne lui permet plus dorénavant de porter attention à quoi que ce soit pouvant survenir aux alentours, et c'est de justesse qu'un grand-père et son petit-fils, s'apprêtant à monter dans une embarcation de pêche, parviennent à l'éviter alors qu'il fonce à toute allure vers eux.

Par dépit, Therrien secoue la tête puis se remet à l'œuvre en sifflotant, heureux de ne pas avoir à transporter lui-même toutes ces planches alors que les rayons cuisants du soleil auraient rendu cette tâche trop ardue.

Au loin, sur le fleuve, le son d'une sirène se fait

entendre. Simon lève les yeux. Un bateau de pêche se dirige vers la marina et il le reconnaît aussitôt comme étant celui de Michel Gendron, un des rares habitants de Du Vallon qui vit des produits de la pêche. Même si cette profession exige de lui de nombreuses absences, parfois prolongées, ça ne l'a pas empêché de fonder une belle famille de trois enfants avec sa femme Jeannette.

« Il revient tôt aujourd'hui ! »

Simon est intrigué. Normalement, Gendron reste sorti toute la journée et ne rentre qu'au coucher du soleil pour profiter au maximum des périodes propices à la pêche.

« Encore des ennuis avec ses moteurs ».

Pourtant, le ronronnement de ces derniers semble normal et Therrien s'y connaît en moteurs, car s'il y avait un problème quelconque, il pourrait le déceler facilement par le son. Donc, s'il ne s'agit pas d'un ennui mécanique, pourquoi revient-il si tôt ?

L'embarcation n'est plus qu'à cinquante mètres du

quai. Comme il mesure près de neuf mètres, Gendron doit ralentir au maximum pour venir s'amarrer, et pas question de pénétrer dans le canal menant au débarcadère, il risquerait de toucher le fond.

« Ça y est ! Je comprends. »

Mis à part Gendron qui est aux commandes, Simon aperçoit une seconde silhouette en retrait à l'arrière du bateau.

« Un passager ! Ce n'est pas dans ses habitudes, ça non plus. »

La curiosité est beaucoup trop grande pour que Therrien continue son travail. Jetant un regard en arrière afin de s'assurer que Jack n'est pas dans le coin, il se lève et, d'un pas presque hésitant, se dirige vers le bout de la longue passerelle menant au quai.

Michel Gendron s'empresse de quitter son bateau pour l'amarrer avant que le reflux des vagues ne l'éloigne trop de l'immense plate-forme de bois.

— Hé ! Gendron ! Tu as perdu la notion du temps ? Il n'est même pas midi ici.

Les mouvements brusques et presque maladroits du pêcheur démontrent à quel point il est inquiet et nerveux. Il y a même de la colère dans ses yeux lorsqu'il les pose sur Therrien, ce foutu fouineur qui est toujours dans les parages lorsqu'il ne le faut pas.

Rapidement, le bateau est fixé solidement aux taquets du quai.

Au moment où le passager, ou plutôt la passagère, s'apprête à quitter l'embarcation à son tour, Michel Gendron s'approche de Therrien. Son front est recouvert de sueur et ses yeux s'affolent dans leurs orbites.

— Tu fermes ta gueule, Therrien! OK?

Simon a un mouvement de recul. Son sourire narquois disparaît instantanément. Cette phrase n'est qu'un sifflement entre les dents de Gendron, mais elle comporte une telle menace que Therrien en reste bouche bée.

Pourquoi cette attitude!

Therrien se risque à allonger le cou pour voir par-dessus l'épaule de Gendron. Tout est clair maintenant.

— Jacinthe!

— Tu dis un mot là-dessus à qui que ce soit et je te fais la peau. C'est compris ?

Simon a entendu très souvent ce genre de paroles qui n'ont jamais eu de conséquences. Mais cette fois, elles sont sérieuses. Ce ne sont pas des menaces en l'air. Du moins, c'est ce que ressent Therrien.

— Ne t'inquiète pas, Michel. Ça reste entre nous.

Jacinthe Ferland est une attirante célibataire de vingt-sept ans à l'apparence de jouvencelle incitant tous les regards à se retourner vers elle sur son passage. La plupart des hommes qui fréquentent la marina espèrent qu'un jour ils auront la chance de passer quelques heures d'intimité avec elle. D'ailleurs, la jeune femme est consciente de l'effet qu'elle provoque et, à dire vrai, elle s'en réjouit. Jamais elle n'a caché à quiconque son besoin de sexe. C'est pourquoi, presque chaque jour, elle vient à la marina en quête d'une proie qui l'emmènerait sur le fleuve pour s'adonner aux plaisirs de la chair. Faire l'amour, ballottée par la vague, est pour cette nymphe ce qu'il y a de plus excitant pour atteindre le summum de la jouissance.

Le visage de Gendron se radoucit quelque peu,

affichant même un petit air coupable. Ce n'est pas du tout son genre d'intimider ainsi les gens, mais cette fois, confronté à un individu à la langue aussi déliée, il s'y voyait contraint.

— Tu sais, Simon, il ne s'est rien passé entre elle et moi.

Therrien baisse la tête légèrement pour cacher son scepticisme. De toute évidence, Gendron tente de se disculper et de lui faire avaler qu'il a navigué pendant des heures en compagnie de la reine du sexe de Du Vallon sans que rien ne se produise entre eux.
— Elle voulait simplement voir ce que fait un pêcheur à l'aube.
— Pas nécessaire de me donner d'explication Michel. Je t'ai dit que ça reste entre nous.

Pendant ce temps, Jacinthe Ferland demeure à l'écart, laissant voguer son regard sur l'immensité du fleuve. Non pas qu'elle se sente coupable de ses agissements, mais elle voit très bien que, contrairement à plusieurs autres pêcheurs, Gendron n'est pas à l'aise du tout avec cette situation peu coutumière pour lui.

— Allons ! Je retourne à mon boulot. Tu devrais reprendre le fleuve.

Gendron approuve de la tête tout en se mordillant la lèvre inférieure du semblant de sourire qu'il tente d'esquisser. Le mieux pour lui est de ne pas trop se montrer à la marina afin d'éviter les soupçons.

Comment a-t-il pu avoir ce moment de faiblesse !

Trop tard. Se faire des reproches ne changerait rien au pétrin dans lequel il vient de se mettre volontairement. Maintenant, tout ce qui lui reste à faire, c'est d'espérer du fond du cœur que Jacinthe n'ira pas se vanter à tous de cette aventure. S'il fallait que cette histoire parvienne aux oreilles de sa femme, ce serait une catastrophe. Pas question de perdre sa famille pour un moment d'égarement.

— Sois sans crainte, Michel. Je ne dirai absolument rien. Ç'a été vraiment agréable. Faudrait remettre ça une bonne fois.

— C'est la seule chose que je te demande, garde le secret.

Jacinthe Ferland n'est pas une femme à conserver sous silence le récit de ses ébats amoureux. Gendron le sait très bien. Les promesses de cette aguicheuse ne valent pas grand-chose.

Du bout des doigts, elle dépose un baiser sur les lèvres de Gendron. Son sourire est presque machiavélique et laisse présager le pire pour l'infortuné.

— On se revoit plus tard à la marina.
— Non ! Ce serait préférable que tu gardes tes distances pour un certain temps.

Jacinthe découvre sa belle rangée de dents blanches et s'éloigne sous le regard inquiet de Gendron. La rage au cœur, ce dernier défait les amarres et remonte à bord de son bateau. Un dernier coup d'œil en direction de Therrien qui continue hypocritement son travail, puis il dirige l'embarcation vers le large, tourmenté par la perspective de devoir fournir des explications à sa femme pour cette folie passagère qui s'est emparée de lui.

# Chapitre 4

Le soleil disparaît lentement à l'horizon alors que quelques petites bandes nuageuses émergent des eaux du fleuve dont la surface est d'un calme étonnant. Une mer d'huile. Les teintes rosées et violacées du ciel se réfléchissent sur cette immensité fluide, lui donnant une allure paradisiaque digne d'être capturée par l'objectif de la caméra d'un photographe spécialisé dans la création de cartes postales. Le vent est au point mort et les seules rides qui viennent troubler les eaux du fleuve sont celles laissées par les embarcations qui rentrent au bercail.

Sur le quai, Simon Therrien accueille les arrivants pour leur donner un coup de main à accoster en minimisant les heurts et à s'amarrer de façon sécuritaire comme lui seul en a l'expertise, du moins c'est ce qu'il aime à croire. On pourrait facilement s'imaginer que c'est un homme d'une serviabilité exemplaire mais, malgré que ce soit en partie vrai, sa générosité est moussée par une grande curiosité. Il aime être au courant de tout ce qui se passe dans l'entourage de la marina et découvrir, si la chance le lui permet, des petits secrets comme le fait que Gendron ait eu une aventure avec Jacinthe.

Toujours fidèle au poste, Jack attend également les pêcheurs et les plaisanciers. Toutes ces personnes font un peu partie de sa grande famille et c'est d'un regard perçant et anxieux qu'il scrute le fleuve dans l'espoir de les voir apparaître avant que les ténèbres ne les enveloppent. Chaque fois que l'un d'eux prend du retard, il entre dans un état de grande nervosité et des grimaces d'inquiétude viennent torturer son visage ridé. Surtout qu'à chaque année on a à déplorer plusieurs noyades ou disparitions, des inconnus pour la plupart, mais il n'en reste pas moins que le fleuve peut prendre la vie des gens à n'importe quel moment.

Régulièrement, les agents de la Sûreté du Québec longent le fleuve dans l'espoir de retrouver des corps, mais surtout pour faire de la prévention en informant les gens sur les dangers de la navigation. La brigade nautique ne chôme pas dans le coin, mais l'immensité du St-Laurent est telle qu'il est utopique de penser qu'elle peut intervenir auprès de tous les navigateurs dont les comportements imprudents peuvent tourner à la tragédie.

— Bonsoir Jack.

Le sexagénaire salue poliment le policier qui s'approche de lui et saisit chaleureusement la main qu'il lui tend amicalement.

— Bonsoir Eugène. On a une soirée magnifique, tu ne trouves pas ?
— Vraiment superbe, en effet.

L'homme semble songeur et laisse paraître un certain inconfort sur son visage normalement éclatant de joie de vivre. Comme Jack n'est pas de ceux qui passent par quatre chemins, il l'interroge aussitôt sur la vraie raison de sa visite.

— Tu n'es pas ici par hasard, n'est-ce pas ? Qu'y a-t-il ?
— Tu as raison, je ne suis pas ici pour une visite de courtoisie. J'ai reçu un avis de recherche cet après-midi. Une femme dans la quarantaine et sa fille de dix-huit ans.

Eugène Savoie glisse une main à l'intérieur de son veston et en extrait une photo qu'il tend aussitôt à Miron.

— Barbara Masson et sa fille Roxanne.

Jack examine attentivement la photo en silence. Une cicatrice au menton de la mère semble éveiller un souvenir qu'il tente de préciser en se grattant le cuir chevelu du bout des doigts.

— Je ne suis pas certain, mais je crois reconnaître la plus vieille des deux.
— Fais un effort, Jack. Essaie de te rappeler. C'est important.
— Je vois. Il ne s'agit pas d'une disparition ordinaire ! Ce sont peut-être des personnalités connues ?

À quelques mètres du quai, l'embarcation de Rémi Chouinard s'apprête à faire son entrée dans le canal pour venir s'amarrer. Simon Therrien l'attend patiemment tout en jetant un œil en direction de Jack et du policier.

Du menton, Savoie indique à Miron un endroit un peu plus à l'écart. Les deux hommes longent la passerelle et se retrouvent sur la terre ferme, près du stationnement réservé aux clients du Marinier.

— Écoute, Jack ! Si je te parle de tout ça, c'est parce que j'ai une très grande confiance en toi. Nous sommes amis depuis longtemps et je sais que je peux compter sur ta discrétion.

La voix du policier est grave, presque solennelle, ce qui n'augure rien de bon. Jack ne sait pas trop s'il a envie d'entendre ce que Savoie a à lui dire. La curiosité est néanmoins une adversaire redoutable. Jack garde le silence tout en tentant de rencontrer le regard du policier qui le fuit constamment, puis se résout à poser directement la question d'un ton hésitant dans lequel pointe une certaine réticence.

— Il s'agit de quoi au juste ?

Savoie prend une grande respiration, soulagé de constater qu'il a éveillé l'intérêt escompté de son vieil ami. Encore quelques secondes d'hésitation, puis il se met enfin à parler.

Étonnamment, il aborde justement le fait que, depuis quelques années, il y ait eu plusieurs disparitions rattachées au fleuve. C'est exactement ce à quoi songeait Jack avant l'arrivée du policier. Ce n'est peut-être pas de la prémonition, mais faut admettre que la coïncidence est assez surprenante.

— Voilà ! Hier il y a eu une réunion des directeurs des corps policiers des villages et villes qui bordent le fleuve St-Laurent. Il y avait aussi des conférenciers provenant de la Sûreté du Québec pour nous faire part des résultats obtenus jusqu'ici et pour nous remettre un rapport concernant les disparitions inexpliquées qui sont survenues depuis une dizaine d'années. C'est effarant. Il y en a eu pas moins de quarante dans une limite d'environ cent kilomètres.

— Et on fait partie de cette section du fleuve ?

— Exact.

Savoie fait une pause de quelques secondes. Il secoue la tête comme pour chasser une mauvaise pensée qui le torture sans relâche, puis regarde Jack droit dans les yeux en espérant stupidement qu'il devine, sans avoir à se perdre dans de longues explications, le but de sa démarche. Pourtant, l'œil inquiet et interrogateur de Jack reste accroché à ses lèvres, anxieux de l'entendre cracher le morceau.

— Les enquêteurs croient que c'est peut-être l'œuvre d'un prédateur.

Le ton de voix monocorde qu'il emploie accentue la morbidité de sa courte phrase qui vient trancher sauvagement toute logique dans l'esprit du pauvre Jack atterré. Il ne peut en croire ses oreilles qui bourdonnent encore sous le choc de cette abominable révélation.

— Quel genre de bête pourrait s'attaquer ainsi aux navigateurs ! Ce n'est tout de même pas la mer, ici ! Y a pas de requin !

Savoie grimace devant l'incompréhension de son ami et l'impatience le gagne.

— Évidemment qu'il n'y a pas de requin ! Je ne t'ai pas dit qu'il s'agissait d'un requin. Je t'ai dit qu'il pouvait s'agir d'un prédateur.

Cette fois Jack croit comprendre où Savoie veut en venir. La surprise est de taille. La seule pensée qu'un maniaque se promène en liberté dans les parages le fait frissonner.

— Qu'est-ce qui vous fait croire que c'est bel et bien un homme qui est à la source de ces disparitions? Les gens sont de plus en plus imprudents et prennent des risques non calculés pour satisfaire un besoin de sensation forte. En plus, l'alcool fait souvent partie de l'inventaire des articles à apporter en bateau pour beaucoup de gens qui, une fois enivrés, négligent de porter leur gilet de sauvetage.

— Ce ne sont que des présomptions, Jack. Si tous les corps avaient été retrouvés, on aurait pu retenir l'hypothèse des accidents, mais les enquêteurs sont convaincus que ces disparitions sont reliées à un maniaque. Après l'étude du rapport, cela devient évident que les corps ne peuvent se trouver dans le fleuve. Les plongeurs en auraient récupéré plusieurs. En plus, presque toutes les personnes disparues sont des femmes. Ça porte à réflexion, tu ne trouves pas?

— Attends un peu, Eugène. Même s'il s'agissait d'un maniaque, les corps auraient été retrouvés tôt ou tard! Avec l'activité grandissante sur le fleuve, il est inconcevable que des cadavres puissent se décomposer avant que quelqu'un ne les repère.

Savoie grimace encore une fois. Il est horrifié par ses pensées ou plutôt par ce dont fait état le rapport de la S.Q. qui est sans équivoque à ce sujet.

— L'explication la plus plausible, c'est qu'il existe un charnier dans le coin. Les corps doivent être enterrés quelque part, en bordure du fleuve, et Dieu sait que ce ne sont pas les endroits qui manquent.

Jack est abasourdi devant une telle supposition. Jamais il n'aurait pu imaginer qu'un site touristique aussi enchanteur que le St-Laurent devienne la toile de fond d'une histoire aussi invraisemblable.

— Vous faites sûrement fausse route. Si cela était vrai, quelqu'un s'en serait aperçu et aurait alerté aussitôt les autorités policières.
— Je l'espère, Jack. Je l'espère de tout mon coeur.

Un long moment de silence s'installe entre les deux hommes. Jack lève les yeux vers le ciel. Le soleil est maintenant complètement noyé et la nuit arrive déjà. Quelques éclats de voix proviennent du Marinier. Comme chaque soir, les habitués de la place se retrouvent devant un verre pour se vanter de leur pêche miraculeuse de la journée, ou tout simplement pour se retrouver entre amis.

— En ce qui concerne la photo, si tu te souviens d'avoir vu ces dames, fais-le-moi savoir. D'après une amie de Barbara Masson, elles seraient venues ici il y a deux semaines.

— Tu crois que ce… prédateur est un gars de la place ?

— Je n'en sais rien. Mais dorénavant, il faudra suivre la moindre piste qui se présentera. Il ne faut absolument rien négliger et être à l'affût d'indices qui nous permettraient de coincer ce psychopathe. Toutefois, il ne faut pas non plus glisser dans la paranoïa et considérer chaque pêcheur comme un meurtrier potentiel. Je compte sur toi pour ouvrir l'œil.

En prononçant ces dernières paroles le policier tend la main à son ami, signifiant ainsi qu'il est l'heure pour lui de prendre congé et d'aller goûter un repos bien mérité.

Tout à coup, venant de nulle part, Simon Therrien arrive en courant au moment où Eugène Savoie s'apprête à monter dans sa voiture. Il a l'air excité.

— Qu'est-ce qui se passe, Simon ?

— C'est Gendron. Il n'est pas encore rentré et le soleil est couché depuis plus d'une demi-heure. Ça ne lui arrive jamais, ça !

— Tu as essayé de le rejoindre avec ton cellulaire ?

— Oui. Aucune réponse.

— Possible qu'il se soit arrêté à une autre marina.

Jack reste songeur. L'hypothèse que vient d'émettre Savoie lui paraît improbable car peu de marinas sont en mesure d'accueillir un bateau de la taille de celui de Gendron. Il ne voit pourtant pas d'autre raison. À quelques reprises il a eu des ennuis de moteur mais, connaissant bien le caractère de Jack, il avait tout de même eu la délicatesse de téléphoner pour aviser de son retard. Peut-être a-t-il jeté l'ancre pour une raison quelconque au large et s'est rendu à la rame dans l'un des villages avoisinants et n'a pas son cellulaire près de lui.

— Ne t'en fais pas, Jack. Gendron est un homme aguerri à la navigation. Il va arriver d'ici peu.

— Tu as sûrement raison.

— Par contre, si dans une heure il n'est pas rentré, donne-moi un coup de fil et j'aviserai les garde-côtes.

Après un dernier sourire et une tape amicale sur l'épaule de son ami Jack, Savoie monte dans sa voiture et quitte lentement le stationnement.

— Je vais rester sur le quai, Jack. Tu as sûrement autre chose à faire à l'intérieur.

— Merci, Simon. J'espère qu'il va se pointer bientôt.

Sans rien ajouter, les deux hommes se séparent et Jack se dirige vers l'entrée du Marinier où l'atmosphère semble à la fête.

Sans plus attendre, Therrien se rend au quai situé à gauche du canal, côté où normalement Gendron vient amarrer son bateau.

Plus d'un quart d'heure se passe sans qu'aucun bruit ne parvienne aux oreilles de Therrien. La nuit est sombre mais, à quelques endroits sur le fleuve, des reflets lumineux, provenant du réseau d'éclairage de Du Vallon, permettent de voir s'il y a de l'activité sur les eaux.

C'est justement grâce à ces reflets que Therrien aperçoit tout à coup le sillon d'une embarcation qui se dirige vers le quai, à droite du canal. À en juger par la grosseur des rides provoquées par son déplacement, il s'agit de toute évidence d'une embarcation légère. Le clapotis que font les rames en touchant l'eau vient confirmer à Simon qu'il s'agit bel et bien d'une chaloupe.

C'est sûrement Gendron. Des ennuis avec son

bateau de pêche l'ont obligé à revenir avec la chaloupe de secours.

Au moment où Simon place ses mains en porte-voix pour héler le rameur, un mouvement sur le quai de droite attire son attention. Plissant les yeux au maximum pour mieux voir dans l'obscurité, il réussit à distinguer une silhouette. Celle d'une femme.

— Qui est là ?

Aucune réponse.

— Qui est là ? Répondez !

Encore une fois, sa voix se perd dans le silence. Il recule de quelques pas, puis se retourne et s'engage à vive allure sur la passerelle. Avec un peu de chance, il atteindra l'autre quai avant que l'embarcation ne le touche.

Rien n'interdit à quiconque de venir se balader dans le coin le soir, mais Therrien est intrigué par ce qui se passe et veut à tout prix reconnaître les promeneurs.

Rapidement il rejoint la passerelle qui borde le canal à sa droite et s'y élance sans perdre de temps, mais dans son empressement, il heurte malencontreusement, du bout du pied, l'un des taquets s'alignant sur la passerelle. Il réussit tout de même à maintenir suffisamment son équilibre pour s'éviter une baignade désagréable et reprend aussitôt sa course. Il a néanmoins perdu des secondes très précieuses qui ont permis aux promeneurs de prendre avantage de la situation car, à l'autre bout, la chaloupe touche le quai et, à son grand désespoir, il voit soudainement disparaître la silhouette de la femme.

— Attendez ! Ce n'est pas prudent d'aller sur le fleuve à cette heure-ci.

L'embarcation est déjà à plus de quinze mètres. Therrien entend quelques chuchotements, puis des ricanements. Ceux d'une femme auxquels viennent se mêler ceux d'un homme. Il ne parvient toutefois pas à reconnaître les timbres de voix. Il ne s'agit, sans aucun doute, que de mauvais farceurs qui tuent le temps à éveiller la curiosité des gens aussi naïfs que peut l'être Therrien.

— Qui que vous soyez, allez vous faire foutre !

Ses cris remplis de frustration déclenchent encore

des ricanements de la part des fuyards qui sont maintenant à une distance appréciable du quai. Ce serait peine perdue de continuer d'espérer découvrir leur identité.

# Chapitre 5

À demi couchée sur le banc arrière de la chaloupe, Jacinthe laisse traîner l'une de ses mains sur la surface de l'eau noire du fleuve. Son corps fiévreux est anxieux de se sentir envahi par les caresses de son compagnon qui, d'ailleurs, ne cesse de la fixer avec convoitise de ses yeux vitrifiés qui semblent scintiller dans la nuit. Les prochaines heures s'annoncent merveilleuses et la jeune femme est convaincue qu'elles le seront davantage que celles passées avec Michel Gendron ce matin même, bien que ce dernier se soit avéré un amant merveilleux.

De son autre main, Jacinthe déboutonne lentement son chemisier, prenant bien soin de faire une courte pause entre chacun des boutons afin que l'excitation de son partenaire ne s'arrête de croître. L'effet recherché semble atteint car la respiration de l'homme se fait de plus en plus forte, parvenant aux oreilles de la jeune femme comme un chant d'amour, prémices à des ébats sexuels voluptueux engendrant une escalade de plaisir menant à la jouissance suprême.

Surgissant brusquement de derrière le seul nuage voguant dans le ciel, les rayons de la lune viennent se poser sur la peau claire de Jacinthe, miroitant sans pudeur sur ses seins à présent dénudés qui se gonflent démesurément à chacune de ses inspirations. La jolie nymphe se cabre légèrement en basculant la tête vers l'arrière pour mieux offrir ses magnifiques courbes au regard de son complice. Le désir grandissant de celui-ci l'incite à augmenter sa cadence dans le but certain d'atteindre le plus rapidement possible le yacht qui flotte sur le fleuve, maintenant à moins de cinquante mètres devant leur chaloupe.

— Si tu mets autant d'ardeur à me faire l'amour que tu en mets pour ramer, mon beau, ce sera le vrai paradis.

— J'ai l'intention de t'amener là où aucun homme n'a jamais pu le faire.

— Prétentieux, en plus !

— Pas du tout, il s'agit là d'une certitude. Tu le constateras par toi-même très bientôt.

L'homme semble être de plus en plus impatient et les coups de rames pleuvent dans les eaux noires à une cadence soutenue. Tout à coup, il lève la tête vers le ciel dans un mouvement brusque comme si quelque chose avait soudainement attiré son attention.

Jacinthe s'étonne quelque peu de cette bizarre réaction, mais cela ne la surprend pas outre mesure car, même si elle connaît cet homme depuis des années, elle a pu constater deux heures plus tôt combien son esprit était perturbé. Après lui avoir fait son numéro d'aguicheuse, il avait accepté de l'amener sur le fleuve pour y vivre une nuit d'amour, mais en respectant certaines conditions. Tout d'abord, elle ne devrait poser aucune question quant à leur destination, ce qui n'avait rien de bien extravagant, mais la deuxièmement condition lui avait parue inutile et farfelue. En effet, elle ne devrait en aucun temps prononcer son nom sous prétexte qu'une oreille indiscrète pourrait l'entendre et il tenait absolument à ce que leur relation reste secrète. Par contre, il lui avait permis de l'appeler «Maître», ce qu'intérieurement elle se refusait à faire même après avoir accepté cette condition. Elle avait, dans sa vie, utilisé tellement de jolis sobriquets pour désigner ses amants qu'il lui serait facile de ne pas prononcer son véritable nom sans pour cela s'abaisser à être une esclave.

— Tu cherches peut-être le paradis où tu prétends m'amener?

Le regard de l'homme reste accroché à la voûte céleste encore quelques secondes avant de se diriger vers la jeune femme. Sous la brillance de la lune, cette dernière décèle aussitôt la dureté de ses traits et elle se sent parcourue de frissons. Pourtant, cette fois, il ne s'agit pas de frissons de désir mais de frissons d'angoisse.

— Non. C'est mon père qui me parle. Il me dit qu'il est temps d'en finir. Que tu es une traînée qui ne me mérite pas.

La stupeur s'inscrit subitement sur le visage de Jacinthe dont le corps tout entier est envahi par une intense chaleur provoquée par la peur. L'espace d'un instant, elle regrette amèrement de s'être embarquée dans cette aventure, même si au début elle s'annonçait exaltante.

La jeune femme secoue la tête pour chasser de

son esprit ces idées noires qui la troublent. De toute évidence, son compagnon a décidé de jouer un jeu qui, soit dit en passant, n'est pas trop romantique, mais qui pourrait tout même devenir intéressant si bien sûr elle accepte de jouer avec lui.

— Ton père est peut-être un voyeur! Il désire te regarder me prendre comme une bête et me faire jouir jusqu'à l'épuisement!
— Ne te moque pas de mon père! Tu m'entends, salope?

Cette fois c'est la consternation. Il y a une telle force dans la voix de l'homme que Jacinthe n'a d'autre alternative que de croire à la véracité de ses paroles. Il a l'esprit complètement dérangé mais cela ne justifie pas le fait qu'il soit aussi désagréable. Rapidement, avec fébrilité, elle reboutonne son chemisier, jugeant que cette comédie a assez duré et qu'il est grand temps d'y mettre un terme.

— Ramène-moi à terre!
— Tu n'iras nulle part, putain!
— Le petit jeu est terminé! Je veux que tu me ramènes immédiatement à terre ou je me mets à crier.

La jeune femme se rend soudainement compte qu'ils sont beaucoup trop loin de la berge pour que quelqu'un entende ses appels de détresse.

Désespérée, elle ouvre la bouche pour le supplier de ne lui faire aucun mal et l'idée de prononcer son prénom lui passe par la tête. Pourtant, elle se ravise, car le simple fait de désobéir à sa promesse de respecter cette condition pourrait provoquer chez ce malade une trop grande colère qu'elle se doit à tout prix d'éviter. Elle opte plutôt pour embarquer dans son jeu.

— S'il te plaît, Maître, ramène-moi à la marina.

Un silence pesant s'enchaîne aux dernières paroles de la malheureuse puis, tout à coup, un rire démoniaque le rompt et s'élève dans la nuit comme une menace. Un rire qui glace le sang. Un rire qui propulse du même coup un mauvais présage pour le laisser planer tout autour de l'embarcation jusqu'à ce qu'il s'infiltre dans chacun des pores de la peau de Jacinthe.

Si seulement elle avait apporté son sac à main dans lequel elle garde, par mesure de prudence, une bouteille de poivre de Cayenne en aérosol. Elle connaît cet homme depuis trop longtemps et lui faisait trop confiance pour avoir songé un seul instant à se munir d'une telle arme. Trop tard pour les regrets, elle doit absolument trouver le moyen de se sortir de cette mauvaise situation avant que la folie de l'homme ne devienne de la véritable démence.

— Peut-être que nous pourrions remettre ça à une autre fois, chéri. Tu n'es peut-être pas au meilleur de ta forme. Ça arrive à tous les hommes, tu peux me croire. Retournons à la marina pour prendre un verre tranquillement et je te promets de ne parler de tout ça à personne.

La jeune femme espère de tout coeur que son vis-à-vis acceptera sa proposition, mais sans trop y croire. L'unique solution est de le prendre au dépourvu en se lançant dans les eaux du fleuve et de s'éloigner le plus rapidement possible de l'embarcation. Elle est une excellente nageuse et, avec l'aide de la noirceur, elle arriverait sûrement à déjouer son adversaire et à regagner la berge.

L'embarcation est encore à plus de vingt mètres du yacht lorsque les rames restent plongées dans les eaux, interrompant pour la première fois leur rythme si régulier depuis le départ du quai de la marina. Jacinthe se sent transpercée par les regards de l'homme et un début de panique grandit dans ses entrailles.

— Tu ne parleras plus jamais à personne, de toute façon. Je dois obéir à mon père. Tu es une possédée du démon et toutes les possédées du démon doivent mourir !

En prononçant ces paroles qui ne laissent aucun doute quant aux réelles intentions de l'homme, celui-ci extirpe brusquement un couteau que retenait la ceinture de son pantalon et le brandit au-dessus de son épaule. Un reflet de lune vient faire briller la lame, la rendant ainsi encore plus menaçante.

Cette fois Jacinthe est acculée au pied du mur et n'a d'autre choix que de mettre à exécution la seule solution qu'elle avait envisagée quelques secondes plus tôt.

Au moment même où l'arme, décrivant une courbe étincelante, se dirige vers elle, la jeune femme se laisse basculer derrière l'embarcation et, appuyant ses pieds contre cette dernière pour s'en servir comme rampe de lancement, se donne une formidable poussée.

L'effet escompté est atteint car, du même coup, Jacinthe est propulsée à plusieurs mètres devant alors que la chaloupe s'éloigne d'elle à vive allure. Aussitôt, après s'être empli les poumons d'air, elle plonge sous la surface de l'eau et nage avec une extrême rapidité pour augmenter au maximum la distance qui la sépare de son agresseur et ainsi se faire de l'obscurité une alliée indispensable à sa fuite.

— Tu vas me le payer, salope ! Personne n'échappe à la volonté de mon père ! Tu vas mourir comme tu le mérites.

Jacinthe n'entend rien des menaces proférées par l'homme dont l'esprit détraqué a perdu tout contrôle. Soudain, au moment où Jacinthe refait surface pour prendre une grande inspiration, le bruit d'un moteur parvient jusqu'à elle. De toute évidence, l'homme a atteint le yacht et entreprend maintenant ses recherches. Un puissant faisceau lumineux déchire tout à coup la noirceur pour balayer les eaux du fleuve. Heureusement, la jeune femme a prévu le coup et a délibérément bifurqué vers la gauche, consciente que son poursuivant se dirigerait aussitôt en ligne droite vers la marina. Avec un peu de chance, elle arrivera à l'éviter suffisamment longtemps pour qu'il finisse par abandonner ses recherches avant que l'épuisement ne la gagne car, incessamment, elle doit plonger sous la surface pour ne pas risquer d'être repérée.

Les lumières de Du Vallon lui paraissent si lointaines alors qu'en réalité elles ne se trouvent qu'à environ deux cents mètres. Malheureusement, ses membres engourdis par l'eau, encore froide à cette période de l'année, ont de plus en plus de mal à effectuer les mouvements nécessaires à une progression rapide.

Le yacht continue sans cesse de tournoyer autour d'elle sans que toutefois le conducteur ne réussisse à déceler sa présence. Malgré son intense désir d'échapper à l'infâme personnage, la jeune femme sent que ses forces diminuent de minute en minute et que, si son antagoniste s'entête à la poursuivre, elle ne parviendra plus très longtemps à se maintenir la tête hors de l'eau car, dès à présent, il n'est plus question pour elle de plonger sous la surface.

Tout à coup, les lamentations d'une sirène de bateau viennent supplanter le ronronnement du moteur du yacht et au loin, se dirigeant droit vers elle, un œil de cyclope déchire les ténèbres. Jacinthe reconnaît aussitôt le bateau de pêche de Michel Gendron. Cette fois, la chance tourne à son avantage. Comme par enchantement, dans un virage soudain provoquant d'énormes vagues, le yacht de son agresseur fait volte-face et s'éloigne à toute allure en direction du large pour s'assurer de ne pas être reconnu par le pêcheur.

Forte d'un regain de vitalité, Jacinthe réussit à effectuer de grands gestes au-dessus de sa tête afin d'attirer l'attention de Gendron. L'œil du cyclope se pose enfin sur elle, prouvant ainsi que son sauveteur l'a repérée. Le bateau ralentit son allure pour finalement se stabiliser à quelques mètres de l'infortunée.

— Michel ! C'est moi, Jacinthe ! Dépêche-toi, je n'en peux plus. Mes forces me quittent.

Malgré l'éblouissement du phare, la jeune femme aperçoit Gendron qui se tient debout près de sa cabine de pilotage. Son étonnement est de taille quand elle constate que le pêcheur demeure immobile alors qu'il devrait s'empresser de lui lancer une bouée de sauvetage. Comment peut-il être aussi calme devant une situation aussi tragique ? Il doit bien voir à quel point il est urgent d'intervenir. Il doit bien savoir que s'il ne lui porte pas secours immédiatement, elle va inexorablement se noyer.

— Michel ! Qu'attends-tu ?

Le coeur de Gendron est déchiré d'entendre les

cris de la jeune femme qui, ce matin même, s'est offerte à lui et avec laquelle il a partagé de si beaux moments de plaisir. Néanmoins, la crainte de voir sa vie chambardée par cette même jeune femme, dont le mot « secret » ne fait pas partie de son vocabulaire, lui commande de saisir la chance qui lui est présentée sur un plateau d'argent. La décision qu'il a à prendre est certes, extrêmement difficile, mais la seule pensée de voir son mariage mis en péril à cause d'une simple aventure lui redonne le courage nécessaire.

— Pardonne-moi, Jacinthe !
— Je t'en supplie ! Aide-moi ! Aide-moi !

Sa voix désespérée, presque un souffle, se meurt tout à coup dans le vrombissement des moteurs dont les gaz sont poussés à fond. Et soudain, c'est la nuit. Trop épuisée pour continuer à combattre, Jacinthe cesse tout mouvement et bientôt les vagues provoquées par le bateau de Gendron viennent la recouvrir l'entraînant dans la froideur de l'onde du fleuve.

# Chapitre 6

Déçu de n'avoir pu reconnaître les promeneurs nocturnes, Simon rebrousse chemin, tout en grommelant son mécontentement, pour aller raconter à Jack ce qui vient de se passer. Ce dernier éclate de rire, accompagné par Gigi qui ne peut également s'empêcher de s'amuser de la situation.

— Ne t'en fais pas, Simon. Il ne se passe rien de grave. C'est Jacinthe. Elle attendait un très bon ami d'après ce qu'elle nous a dit. Mais elle n'a pas voulu nous dévoiler le nom du chanceux. Ce n'est vraiment pas de chance pour toi, n'est-ce pas ?
— Jacinthe !
— Oui, Jacinthe. Tu la connais, pourtant. Elle ne laisse pas sa petite culotte au chômage très longtemps.

Pendant quelques secondes, Ginette continue de rigoler aux dépens de Simon, puis, pour se faire pardonner, dépose une bouteille de bière devant lui.

— Tiens. Bois ça à la santé de Jacinthe. Je te l'offre.

Tout devient plus clair maintenant. Le retard de Michel Gendron s'explique. Il a mis l'ancre un peu plus loin sur le fleuve et est venu chercher Jacinthe en chaloupe pour ne pas éveiller de soupçons. Ça explique aussi que son cellulaire soit resté muet.

Therrien ne sait pas s'il doit être en colère ou, au contraire, s'il doit en rire. Après tout, ça ne le regarde pas. Son mandat se limite à faire l'entretien de la place et non à gérer la vie des clients.

— Merci Gigi. Ce n'est pas de refus.

Trente minutes plus tard, l'air triste, Jack s'approche de Simon en lui tapotant l'épaule et prend place sur le tabouret voisin. Il demeure silencieux pendant quelques secondes comme pour prolonger un certain suspense et faire naître encore une fois la curiosité dans l'esprit de Therrien. Le stratagème fonctionne à merveille car, visiblement intrigué, ce dernier plonge un regard impatient dans celui de son patron, l'invitant à dire quelque chose pour mettre fin à cette torture. Instantanément, le faciès de Jack se métamorphose et un immense sourire se greffe à ses lèvres, accompagné d'un grand soupir de soulagement.

— Gendron arrive. Je viens de voir son bateau s'amarrer au quai.
— Déjà !
— Comment ça, déjà !

Therrien se rend compte de sa bévue. En principe, personne ne se doute qu'il baise avec Jacinthe.

— Je veux dire. Ce n'est pas trop tôt.
— La bière te monte déjà à la tête, mon pauvre Simon. Tu vieillis toi aussi.

Therrien s'efforce de rire même s'il n'a pas le cœur à plaisanter. L'aventure que vit Gendron le rend triste. Triste pour sa femme. Une famille si unie en apparence. C'est sûrement cette garce de Jacinthe qui l'a aguiché au point de lui faire perdre la tête. Elle devrait être punie pour ça.

Mais en y pensant bien, Simon se rend compte que

Michel est aussi fautif qu'elle. Il n'avait qu'à refuser ses avances. Celui qui succombe à la tentation est aussi coupable que la personne qui lui offre le péché.

La porte d'entrée du Marinier s'ouvre et, le visage souriant, Michel Gendron fait son apparition. Il se doit de paraître le plus naturel possible même si déjà les remords commencent à le hanter. Malgré que Jacinthe ait été une aguicheuse de premier ordre, elle ne méritait pas un sort pareil. Une fin aussi atroce qui aurait pu être évitée si Gendron avait eu le courage d'assumer ses actes. Le mal est fait. Il ne peut retourner en arrière pour porter secours à la malheureuse et il est hors de question d'être accusé pour ce geste ignoble. Un autre devra porter le chapeau à sa place et il sait très bien de qui il s'agit car, ce matin, Jacinthe lui a parlé du rendez-vous qu'elle devait avoir ce soir. Sans toutefois mentionner son nom clairement, elle lui a révélé certains détails qui ne trompent pas et il en a déduit, avec une quasi-certitude, que c'était Crevier. Que s'estt-il passé à bord du bateau de ce dernier, il n'en sait trop rien. Mais le véritable assassin, c'est lui !

Après avoir salué la plupart des personnes qu'il rencontre sur son passage, il vient s'installer au bar. Connaissant ses goûts, Ginette lui verse un verre de whisky qu'il s'empresse d'avaler d'un seul coup.

— Alors ! Tu as fait une bonne pêche, mon beau ?

— Très bonne, en effet. Le fleuve était d'une telle générosité aujourd'hui.

— Et c'est pour ça que tu arrives si tard et sans prévenir personne ? Tu n'as même pas répondu aux appels sur ton cellulaire.

Gendron se retourne pour faire face à celui qui vient de parler et prend aussitôt un air repentant avec, dans le regard, une immense tristesse qui ne laisse aucun doute quant à la sincérité de son attitude.

— Jack ! Je m'excuse. J'étais au large et aux prises avec un maskinongé de vingt kilos et demi. Si j'avais répondu au téléphone, j'aurais risqué de le perdre. Il a saigné comme un porc, tellement il s'est débattu quand je l'ai monté sur le bateau.

Tout en prononçant ces mots, le visage de Gendron s'illumine, puis il tend les mains devant lui pour que les taches de sang encore subsistantes viennent corroborer son dire. Jack est peu impressionné, mais sourit tout de même. La joie qu'il peut lire sur les traits du pêcheur lui fait presque oublier à quel point il s'est inquiété pour lui.

— Ça va ! Je te comprends. C'est toujours excitant, une grosse prise.

Assis deux bancs plus loin, Therrien entend toute la conversation. Il doit absolument se contrôler et ne pas laisser paraître sa colère aux yeux de Jack qui lui poserait sûrement des questions auxquelles il ne peut répondre.

Enfin Jack s'éloigne et Ginette est appelée à servir un client qui vient de s'installer à l'autre bout du comptoir. Therrien en profite pour se glisser sur le banc voisin, de façon à se retrouver près de Gendron.

— Tu n'as pas honte de ce que tu fais, Michel !
— Je t'ai dit ce matin de ne plus parler de tout ça. Tu n'as pas compris ce que je t'ai dit ?

La bière aidant, Simon se sent plus téméraire. La bravoure n'est pas une qualité qu'il possède, mais après une bière ou deux, il a tendance à oublier qu'il est un peu poltron.

— Oui, j'ai très bien saisi tes menaces. Mais là tu es allé trop loin.
— En quoi ça peut bien te regarder, Therrien ?

— Tout simplement que ça me dégoûte de te voir tromper ta femme ainsi. Tu n'en avais pas assez ce matin, il fallait que tu te la fasses encore ce soir, la Jacinthe !

— Mais qu'est-ce que tu racontes là ? Tu divagues, mon pauvre Therrien.

— Ne fais pas l'innocent, Michel. Tu es venu chercher Jacinthe tout à l'heure et vous vous êtes sauvés en chaloupe sur le fleuve.

Gendron ne peut s'empêcher de rire en secouant la tête dans tous les sens, tellement cette accusation est ridicule. Son rire est presque hystérique, comme si Therrien venait de lui raconter l'histoire la plus drôle qu'il n'avait jamais entendue.

— Tu peux bien te marrer, Gendron ! N'empêche que si je raconte tout à ta femme, tu vas te retrouver à la rue.

Le visage de Michel Gendron se durcit d'un seul coup. Il n'est pas question pour lui d'endurer ce genre de chantage. Il pose une main sur le bras de son voisin et le sert fortement.

— Écoute-moi bien, Therrien. Tu ouvres ta grande gueule et je te tue ! J'ai commis une erreur ce matin, c'est d'accord, mais n'en rajoute pas.

Sa voix est sifflante et son regard cinglant. Il se doit d'être persuasif pour faire peur à Simon et ainsi s'assurer de son silence. Au bout de quelques secondes, il relâche son étreinte. La rage qui envahit ses yeux s'atténue lentement.

— C'est Crevier qu'elle devait rencontrer ce soir. Pas moi.

Les paroles de Gendron paraissent si sincères que Simon, une fois l'effet de surprise passé, baisse la tête comme un enfant pris en faute. Sa version des faits est plausible. Réal Crevier a quitté le Marinier en début d'après-midi et n'est pas revenu pour souper comme il le fait habituellement. En plus, il doit admettre avoir lui-même été surpris que Gendron revienne si tôt à la marina, à peine une demi-heure après le départ de Jacinthe. L'appétit sexuel de cette dernière est beaucoup trop développé pour se contenter de quelques minutes d'ébats amoureux. Il en sait d'ailleurs quelque chose à ce sujet pour l'avoir expérimenté à une occasion alors que la jeune femme, en manque de sexe, n'avait pu trouver preneur parmi ses réguliers qui avaient tout simplement décliné son offre ce soir-là.

— Crois-moi, Simon. Jamais plus je ne me laisserai avoir par cette petite agace. Je t'en donne ma parole. Je peux même t'en faire la promesse solennelle !

D'un signe de la main à l'intention de Gigi, Michel Gendron commande une bière et un whisky. Quoi de mieux que l'alcool pour amadouer quelqu'un à qui l'on veut faire garder le silence !

# Chapitre 7

— Je cherche monsieur Réal Crevier. Vous pouvez m'indiquer où je peux le trouver?

Ginette lève les yeux en direction de la jeune femme qui, précédée d'un agréable nuage parfumé, s'approche du comptoir. Elle est très jolie avec ses longs cheveux noirs et brillants qui glissent sur ses épaules en ondulant avec une telle souplesse à chacun de ses mouvements. Ses yeux d'un gris bleu éclatant et empreints de sensualité, rehaussent admirablement son teint pâle, lui donnant ainsi une véritable allure de cover-girl.

Elle en est peut-être une, songe Ginette alors qu'elle examine effrontément l'inconnue au moment où cette dernière tourne la tête en direction d'un client qui fait son entrée.

— Ça fait deux jours qu'il n'est pas venu ici.

— Nous sommes bien vendredi ?

— Exact, ma petite dame. Vous aviez rendez-vous avec Réal ?

— En quelque sorte, oui. Au téléphone, monsieur Crevier m'avait dit qu'il se rendait au bar le Marinier chaque jour, en après-midi.

— Normalement, oui. Du moins lorsqu'il n'a pas de client.

La jeune femme semble très déçue et désorientée par l'absence de Crevier qu'elle espérait trouver immédiatement en débarquant à la marina. Elle secoue doucement la tête avec une pointe de découragement dans le regard. De toute évidence elle compte beaucoup sur lui et le fait qu'il ne soit pas à l'endroit indiqué l'attriste d'une façon que Ginette juge démesurée.

— Vous savez, il est encore tôt. Réal peut se pointer d'une minute à l'autre.

Elle jette un œil sur l'immense horloge lumineuse accrochée au mur derrière le bar. Treize heures trente-cinq.

— En effet, nous ne sommes qu'en début d'après-midi. Je vais l'attendre.

Ginette lui sourit en approuvant de la tête. Cette femme a un petit air sympathique invitant à la cordialité.

— Venez. Je vais vous installer à sa table préférée. Comme ça, vous ne risquez pas de le manquer.
— Mon nom est Claudia. Claudia Bernard. Si monsieur Crevier me demande, vous saurez que c'est moi.
— Enchantée. Moi, c'est Gigi.

Les deux femmes échangent une poignée de main rapide, puis Ginette quitte son poste pour se diriger vers le fond de la salle. Claudia s'accroche à ses talons.

— Voilà, c'est ici. Tout près de la fenêtre donnant sur le fleuve. Réal est un amant du fleuve et même lorsqu'il ne navigue pas, il tient à garder un œil sur lui.
— Je vous remercie.
— Y a pas de quoi. Vous prendrez quelque chose ?

Claudia réfléchit quelques secondes. Ce n'est pas une adepte de boissons alcoolisées, mais vu l'endroit où elle se trouve, elle se croit obligée de consommer.

— Ce que vous avez de moins fort. Je ne bois que très rarement.

Ginette comprend que cette femme ne fréquente jamais les bars, sinon elle saurait qu'on peut y commander des consommations sans alcool.

— Un grand verre de jus d'orange glacé, ça vous va ?
— Oui. Merci beaucoup.

Après un clin d'œil, Ginette file au bar pour chercher le breuvage pendant que Claudia promène discrètement son regard sur les quelques occupants de la salle. Deux tables à sa gauche, un couple est en train de manger. C'est Rémi Chouinard et sa femme qui se gavent de dessert.

Les yeux de Chouinard rencontrent ceux de Claudia. Il lui sourit tout en hochant la tête légèrement pour la saluer. La jeune femme, visiblement gênée, détourne son regard vers la fenêtre.

À l'extérieur, un spectacle inattendu s'offre à elle. Mêlant leurs cris à ceux des mouettes apeurées qui s'enfuient, des gens accourent de partout pour s'élancer sur les passerelles longeant le canal. À l'entrée de ce dernier, un bateau blanc, ayant le logo de la SQ peint sur chacun de ses flancs, s'y engage.

Intriguée, Claudia se rapproche de la fenêtre pour mieux voir de quoi il en retourne, mais la masse grandissante des curieux l'empêche de détailler la scène. Son imagination fertile lui offre toute une panoplie de scénarios possibles pour justifier l'arrivée des policiers. Pendant un instant, elle est tentée de s'élancer à son tour à l'extérieur pour voir ce qui se passe réellement alors que, d'un seul élan, tous les occupants du bar se ruent vers la sortie. Même Ginette leur emboîte le pas, mais avant de quitter, elle se retourne vers la jeune femme pour l'inviter, d'un signe de la tête, à suivre le mouvement.

— C'est sûrement une noyade.

Après avoir fait le tour de la salle du regard pour constater qu'elle est seule, Claudia se lève de table et cours vers la sortie à son tour.

Une fourgonnette noire recule en direction de l'embarcadère.

Morgue.

Ce mot peint en lettres dorées sur les portières

de la fourgonnette fait frissonner Claudia. De toute évidence la patronne du bar avait raison. Il doit s'agir d'une noyade.

Le bateau patrouille se rapproche lentement en se positionnant pour l'accostage. Claudia est fascinée par tous ces visages inquiets qui s'alignent sur les passerelles de chaque côté du canal. Ils sont tous anxieux de connaître l'identité de la victime.

Plusieurs hommes attendent l'embarcation pour l'amarrer près du débarcadère. Carl Lévesque est le premier à se saisir d'une amarre alors qu'à l'autre bout du bateau, Simon Therrien l'imite.

Quelques murmures s'élèvent du petit groupe se trouvant à proximité des arrivants. Les quatre policiers, portant encore leur veste de sauvetage, soulèvent le corps qui avait été placé au fond du bateau et le déposent sur la civière apportée par les deux préposés de la morgue.

C'est une femme.

Le corps est aussitôt dissimulé sous une couverture rouge, mais pas avant que les curieux les plus près l'aient reconnue. Comme pour annoncer la nouvelle à toute la population du village, une voix forte s'élève soudainement.

— C'est Jacinthe Ferland !

Les murmures repartent de plus belle, mais cette fois, de façon générale. Tous les gens de Du Vallon connaissent Jacinthe et nombreux sont ceux qui doivent être soulagés de sa mort. La plupart des femmes, en tout cas.

Jack a la larme à l'œil. Non pas qu'il ait le cœur brisé en raison d'une relation intime qu'il aurait entretenu avec Jacinthe, mais il la connaissait depuis longtemps. C'était une habituée du Marinier, quelles que soient les raisons qui l'amenaient à fréquenter l'établissement.

Ginette est également toute retournée par cette tragédie car elle l'aimait bien, Jacinthe, malgré son penchant un peu trop abusif envers le sexe. Même qu'à certains moments, elle l'enviait d'avoir le courage de mordre dans la vie de cette façon sans se soucier des commérages que cela pouvait engendrer.

Les passerelles se vident peu à peu alors que le corps disparaît dans le ventre de la fourgonnette qui démarre aussitôt. Normalement, le silence est de mise dans une telle circonstance, mais pour la mort de Jacinthe Ferland, il en va tout autrement. Claudia sursaute en entendant les commentaires de gens qui discutent entre eux en se dirigeant vers la route.

« Bon débarras ».

Ou bien :

« Qu'elle aille en enfer » !

Un manque de respect total envers une morte, songe-t-elle, légèrement offusquée par les paroles désobligeantes qu'elle entend.

Par contre, ne sachant rien de ces villageois et de la victime, elle ne peut se permettre de juger qui que ce soit. Ils ont sûrement de bonnes raisons pour parler ainsi, même si le moment est bien mal choisi.

À la hauteur des quais, une chaloupe approche. Un homme tient les rames au-dessus de l'eau et se laisse pousser par les vagues. Il n'a vraiment pas l'air à l'aise. Même qu'il semble très nerveux. C'est Julien Nault. Il s'agit sans doute de l'une de ces rares journées où l'esprit détraqué du pauvre homme lui a permis de braver ainsi le fleuve, toutefois en se gardant bien de s'aventurer trop loin du rivage.

Aussitôt, deux policiers et Jack se dirigent vers l'endroit où Julien doit accoster. Selon l'un des policiers, c'est Nault qui a attiré leur attention par de grands gestes. De toute évidence, il a découvert le corps de la femme en s'enfonçant entre les grandes agglomérations de quenouilles pour aller pêcher la perchaude. Bien entendu, les policiers n'ont pu obtenir plus de détail du pauvre homme.

— Laissez-moi lui parler. S'il ne se sent pas en confiance, il va se sauver.

Les policiers regardent Jack avec étonnement. Normalement, un homme qui se sauve devant des policiers, c'est parce qu'il a quelque chose à se reprocher.

— Nous le rattraperons, vite fait.
— Vous vous en êtes rendu compte, non ! Il n'est pas ce qu'on peut appeler un homme normal. En plus d'être muet, son cerveau ne tourne pas rond. Mais il est très doux et ne ferait pas de mal à une mouche.

Jack fait des gestes de la main pour inviter Julien à les rejoindre. Les deux policiers s'arrêtent de marcher, laissant Jack prendre les devants.

— Tout ce qu'on veut, c'est qu'il nous accompagne

pour sa déposition.

— Et comment va-t-il faire ça ? Il est muet !

— Il doit savoir écrire, non ?

— À peine. Les seuls mots qu'il a réussi à apprendre, c'est Jacinthe qui les lui a enseignés et comme elle avait beaucoup à faire dans le coin, elle n'était pas toujours disponible pour l'aider, alors ne vous attendez pas à rien de plus que quelques mots de sa part.

— Nous avons des experts pour ces cas-là.

Miron n'écoute plus. Une fois près du quai, il attrape le devant de la chaloupe de Nault, puis se saisit de son amarre pour la fixer solidement à l'un des anneaux disponibles.

— Ne t'en fais pas, Julien. Tout va bien. Ces policiers ne te veulent aucun mal.

À la grande surprise de Jack, Nault approuve de la tête. Ce n'est certes pas son comportement habituel, ça, de se laisser convaincre aussi facilement de rencontrer des étrangers.

— Tu te sens bien, Julien ?

Hochement affirmatif de la tête. Jack n'en revient pas, ahuri par cette attitude qui ne correspond pas du tout à celle qu'il adopte normalement lorsqu'il est confronté à une situation qui sort de l'ordinaire.

Nault saute sur le quai, regarde les deux policiers qui l'attendent un peu plus loin, puis se met à marcher dans leur direction pour ne s'arrêter qu'à quelques pas d'eux. Il baisse la tête.

— Ces deux policiers vont t'amener avec eux pour que tu leur dises ce qui s'est passé, d'accord ?

Sans protester, Julien fait un pas vers les policiers, leur indiquant ainsi qu'il est prêt à les suivre sans offrir aucune résistance.

— Je n'en reviens tout simplement pas. Même s'il ne vous connaît pas, il semble être tout à fait disposé à aller avec vous. C'est sûrement parce qu'il n'a rien à cacher.
— Ou parce qu'il se sent soulagé.
— Que voulez-vous dire ?
— Rien. Je disais ça comme ça.

Le policier saisit Julien par le bras et l'invite à les

accompagner. Docilement, Nault se laisse guider vers la berge où une auto de la SQ les attend.

Complètement atterré par la totale résignation de Julien, Jack reste figé sur place de longues secondes avant de suivre les trois hommes.

Devant le Marinier, deux autres policiers sont là à discuter avec quelques personnes. L'un d'eux tient un carnet entre ses mains et, régulièrement, prend des notes.

Avant de rejoindre le petit groupe, Jack suit du regard Julien qui monte dans la voiture des policiers, toujours avec la même docilité. Par la fenêtre, il regarde tous ces gens, massés près de l'auto, qui ne cessent de l'observer alors qu'il est conduit hors du stationnement.

Pendant plus de trente minutes, tout un chacun répond aux questions des enquêteurs. Pour l'instant, il ne s'agit que de compiler des renseignements concernant Jacinthe. Son statut social, ses compétences en tant que navigatrice, ses allées et venues des derniers jours, etc…

Bien sûr si, pour une raison quelconque, il se trouve que la mort n'est pas accidentelle, l'interrogatoire reprendra de plus belle avec chacune des personnes présentes ainsi qu'avec les proches et les nombreux amants de Jacinthe. Comme le fait remarquer l'un des policiers, l'autopsie déterminera avec exactitude les causes du décès.

— Le directeur de la police locale vous contactera sûrement s'il y a des développements.
— Merci. Eugène Savoie connaît très bien tous les habitués de la marina, il pourra également vous fournir les coordonnées des absents.

Jack salue les deux inspecteurs qui tournent aussitôt les talons.

Demeuré à l'écart depuis le début, Simon Therrien se rapproche lentement des autres qui, tout en continuant de discuter, entrent dans la grande salle du Marinier. Sa mine déconfite inquiète Jack, mais ce dernier préfère ne pas intervenir pour l'instant et attendre le moment opportun pour s'enquérir de son état d'esprit. Simon était peut-être plus près que l'on ne peut le croire de Jacinthe et sa mort l'afflige davantage que beaucoup d'autres personnes, soulagées de ce dramatique dénouement.

Therrien s'arrête sur le seuil de la porte, hésite un moment, puis fait demi-tour pour s'éloigner en direction du stationnement qu'il traverse sans même se retourner et quitte le domaine de la marina.

Après avoir suivi son employé du regard jusqu'à ce qu'il disparaisse complètement de sa vue, Jack rejoint Ginette au bar, qui discute allègrement avec Carl, ainsi qu'avec Chouinard et sa femme. Tous s'accordent à dire que, quoi qu'elle ait pu faire, Jacinthe ne méritait pas de mourir de façon aussi affreuse.

— Vous savez quand monsieur Crevier va arriver ?

Tous se retournent vers Claudia, plantée derrière eux, qui attend une réponse. Sa voix est douce, mais accompagnée d'une légère touche d'impatience facilement perceptible. Carl se lève en apercevant l'étrangère qu'une pointe de tristesse embellit davantage.

Elle est vraiment très belle, se dit-il intérieurement.

— Non, malheureusement, nous n'en avons aucune idée.

— Ça fait plus de deux heures que je l'attends. J'espère qu'il va arriver bientôt. Il n'y a pas moyen de le contacter ?

Carl hésite un instant. Il sait très bien que Crevier

déteste se faire déranger pour rien, surtout par lui, mais la petite dame est si charmante qu'il croit que c'est le moment de faire une exception.

Devinant les intentions de Carl, Ginette lui tend son cellulaire ainsi qu'un petit calepin où tous les numéros de téléphone des habitués de la marina sont inscrits.

— Je peux faire ça pour vous. Je lui annonce qui ?
— Claudia Bernard. Je vous remercie infiniment.

Carl compose rapidement le numéro et jette un regard vers Claudia qui lui sourit, visiblement heureuse qu'on daigne enfin s'occuper d'elle.

— Réal !

« Qui veux-tu que ce soit ! Qui t'a permis de m'appeler ? »

— Il y a ici une gentille dame du nom de Claudia Bernard qui t'attend depuis un siècle. Elle voudrait savoir si tu viens au Marinier bientôt.

« J'ai justement la marina dans ma mire. J'y serai

dans quelques minutes. »

Crevier coupe aussitôt la communication. De toute évidence il n'a pas apprécié que ce soit Carl qui l'ait contacté.

— Si vous regardez par la fenêtre, Claudia, vous le verrez faire son entrée à la marina.
— Je vous remercie sincèrement monsieur… monsieur ?
— Carl. Carl Lévesque. À votre service.

Claudia sourit, puis retourne à la table qu'elle occupait avant l'arrivée du bateau patrouille. Heureusement, malgré sa position avantageuse donnant sur le décor splendide que lui offre le fleuve, personne ne s'y est installé. C'est à croire que cette table est réservée à Réal Crevier sans toutefois y avoir d'indication visible à cet effet.

# Chapitre 8

De loin, Carl observe Claudia qui discute avec Crevier. Les quelques bribes de conversation qu'il a pu entendre lui ont appris que Claudia désire se payer une ou deux semaines de repos dans un endroit isolé.

Ce n'est pas exactement ce que Réal Crevier offre à ses clients car une partie du message qu'il fait paraître dans certains hebdomadaires du Québec et de l'Ontario, est tout à fait clair : «Une semaine de rêve pour les personnes désirant visiter les abords enchanteurs du St-Laurent». Mais parfois, il fait une exception et ça, tous les habitués de la marina le savent très bien.

— Elle t'intéresse la petite dame, hein ?
— On ne peut rien te cacher, ma belle Gigi.
— Pas difficile à deviner, tu baves presque.

— Je pourrais peut-être lui faire une offre plus avantageuse que celle de Crevier. Qu'en penses-tu ?

Pendant quelques secondes, Ginette feint de réfléchir, au grand étonnement de Carl. Puis elle lui sourit.

— Tu sais, à voir l'éclat de ses yeux posés sur toi lorsque tu avais Crevier au téléphone tout à l'heure, je suis persuadée que tes chances seraient bonnes.

— Va falloir que j'y songe.

Cette fois il n'a pas l'air de plaisanter. Ginette grimace légèrement et ses traits redeviennent plus sérieux.

— Ne t'en fais pas Gigi. Je sais très bien à quoi tu penses. Déjà que Réal croit fermement que je lui ai volé sa petite amie, s'il fallait que maintenant je lui vole une cliente…

— Il te tuerait à coup sûr.

— Je le crois capable de le faire. Du moins d'essayer. En plus, si tu te souviens bien, c'est avec Jacinthe qu'il s'était consolé pendant quelques semaines. Je ne sais pas comment il va prendre la nouvelle. Il n'est sûrement pas au courant, à le voir discuter affaires de cette façon.

Carl détourne la tête. La conversation semble s'animer de plus en plus entre Claudia et Crevier. Il n'aurait jamais cru que cette jeune femme, d'apparence renfermée, puisse être aussi volubile. À chaque argument que Crevier apporte, elle revient à la charge tout en frappant la table du bout de l'index, comme pour donner plus de poids à ses paroles.

Réal Crevier se renverse sur sa chaise et demeure immobile un long moment, le regard fixé sur la jeune femme. Vaincu, il hoche affirmativement la tête. Puis, esquissant un semblant de sourire à Claudia, il lui tend la main pour conclure l'entente.

— Pas de chance pour toi, Carl.
— Pas de chance pour elle, tu veux dire.
— Tu as raison. Cette Claudia ne sait pas ce qu'elle va manquer.

Ils éclatent de rire. Carl n'est pas ce qu'on appelle un Don Juan, mais il a tout de même confiance en son charme que Ginette qualifie d'irrésistible.

Au moment où Carl se lève de son tabouret pour

quitter le Mariner, Gaston Meunier et Eugène Savoie font irruption dans la salle. Instinctivement leurs regards se dirigent vers la table où se trouve Crevier. C'est sans aucun doute à lui qu'ils ont affaire.

Curieux, Carl se rassoit.

Alors que Savoie se dirige vers sa proie, Meunier, de son côté, s'empresse de rejoindre Jack, occupé à essuyer la table qu'un couple vient de quitter.

— Jack ! Tu nous prêtes ton bureau quelques minutes ?
— Oui, bien sûr. Y a un problème ?

Le maire jette un coup d'œil autour de lui. Il ne tient pas à être entendu et que ses paroles soient mal interprétées.

— Nous voulons parler à Réal Crevier. Quelque chose nous porte à croire qu'il peut nous donner des détails concernant la mort de Jacinthe.
— Quoi ! Mais vous n'y pensez pas. Réal n'est pas un meurtrier.
— Je n'ai jamais dit qu'il en était un. Selon un informateur, il serait venu chercher Jacinthe en chaloupe avant hier alors qu'il faisait complètement

noir. Nous voulons lui parler avant de remettre cette information à la SQ.

Miron est estomaqué. Un informateur !

Mais qui donc peut bien vouloir du mal à Réal Crevier alors que c'est un homme sans histoire qui ne s'occupe que de ses propres affaires !

Meunier fait un signe à Savoie pour lui indiquer que le bureau de Miron est disponible.

— Merci, Jack.

Accompagné du directeur de la police, Crevier contourne le bar et disparaît derrière une porte menant au bureau. Sous le regard intrigué de Ginette, Gaston Meunier leur emboîte le pas.

— Tu as des travaux à me faire faire à l'arrière, Gigi ?

La patronne comprend parfaitement où Carl veut en venir. C'est un manque de discrétion que d'espionner les gens, mais elle est aussi curieuse que lui.

— Je manque de bières. Tu pourrais aller m'en chercher une caisse à la cave.

Sans perdre de temps, Carl emprunte à son tour la porte derrière le bar. Cette dernière donne sur un petit corridor. À un bout se trouve l'escalier menant à la cave et à l'autre, une porte est fermée sur le bureau de Jack. Près de celle-ci, une autre porte dissimule l'entrée d'un grand placard contenant tout le nécessaire pour l'entretien de la maison.

Évitant de faire du bruit, Carl ouvre la porte du placard et s'y enferme. Derrière le mur de droite se trouve le bureau de Jack et il y colle aussitôt l'oreille qui ne réussit cependant qu'à capter le bourdonnement du climatiseur troublant le silence de la pièce. D'interminables secondes s'écoulent ainsi, sans que son ouïe ne parvienne à déceler quoi que ce soit. Déçu de ne rien entendre et sur le point d'abandonner, il esquisse un geste de la main vers la poignée de la porte mais se ravise aussitôt lorsqu'enfin des voix s'élèvent.

— Je vous jure que ce n'était pas moi.
— Jacinthe elle-même a affirmé à plusieurs personnes qu'elle avait rendez-vous avec toi.

Quelques secondes s'écoulent encore dans un silence complet. Anxieux, Carl retient sa respiration. Il se doit de ne faire aucun mouvement afin d'éviter de révéler malencontreusement sa présence.

— Elle a menti, tout simplement.

Il y a maintenant de la colère dans la voix de Crevier, visiblement vexé par les soupçons qui semblent peser sur lui.

— Ne me dites pas que vous voulez me coller la mort de cette putain sur le dos !

— Non, Réal. Eugène et moi voulons seulement savoir si tu as été témoin de sa noyade, qui est sûrement accidentelle. Tu comprends, la Sûreté du Québec va faire une enquête et nous aimerions être au courant de ce qui s'est passé, avant eux.

— Eh bien ! Je ne peux rien vous apprendre. Ce jour-là, je me suis rendu sur mon île pour y faire des travaux. J'en arrive à peine.

— Tu as des témoins pour confirmer qu'effectivement tu te trouvais sur ton île ?

— Non, j'y étais seul. J'ai repeint les murs du salon de mon chalet. Vous pouvez aller vérifier si ça vous chante.

— Nous le ferons sûrement si nous le jugeons nécessaire.

— Je n'ai rien à cacher, alors si vous aimez perdre

votre temps, faites-le.

Carl sent que l'interrogatoire tire à sa fin, puisque Crevier ne peut rien apporter de nouveau à l'enquête, et qu'il est temps pour lui de quitter son refuge.

Pourtant Savoie ne semble pas vouloir lâcher le morceau aussi facilement. Crevier n'est pas disposé à coopérer pour la mort de Jacinthe, mais pour une autre histoire, il pourrait être utile. Il lance une photo devant lui.

— Tu connais ces deux femmes ?

Sans hésiter, Réal Crevier affirme les connaître, mais simplement comme clientes.

— Quand les as-tu rencontrées ?
— Il y a deux semaines environ. Pourquoi ces questions ?
— Tu les as emmenées où ?
— Elles voulaient passer deux jours ensemble en toute tranquillité. Je leur ai offert de rester sur l'île pour passer la nuit, comme le font presque tous mes clients.
— Et le lendemain ?
— Non, pas le lendemain, mais le jour même. Je me

suis rendu chez Dumont pour faire réparer le moteur du bateau. Je suis revenu alors qu'il faisait presque nuit. Elles étaient parties. Avec mon canot pneumatique, en plus.

— Tu n'as pas alerté la police ?

— Non. Elles avaient emporté leurs valises, alors j'ai pensé qu'elles avaient changé d'idée et que passer la nuit sur l'île ne les intéressait pas. Et comme elles m'avaient payé d'avance, je ne vois pas pourquoi j'aurais couru après. Pour mon pneumatique, il est vieux et sans grande valeur, je n'ai pas porté plainte. Mon nom est peint sur les côtés alors elles doivent s'en être débarrassé.

Encore une fois le silence emplit la pièce pendant un moment, laissant supposer que Savoie et Meunier réfléchissent à cette dernière déclaration.

— Elles m'accusent de quoi, ces femmes ?

— Elles n'ont porté aucune accusation.

— J'y comprends rien. Pourquoi toutes ces questions, alors ?

— Parce que tu es probablement la dernière personne qui a eu un contact avec elles. Barbara Masson et sa fille ont disparu il y a deux semaines. Personne ne les a revues depuis.

Pendant deux longues minutes, aucune parole n'est prononcée par les trois hommes. C'est Eugène Savoie qui brise la glace le premier en employant une voix basse et qui se veut compatissante.

— Je te connais assez pour savoir que tu n'as sûrement rien à te reprocher dans ces deux affaires, Réal. Mais un conseil, trouve-toi un avocat. Les inspecteurs de la SQ ne seront pas tendres avec toi.

En toute hâte, Carl quitte le placard et file, sans faire de bruit, vers l'escalier permettant d'accéder à la cave. La crainte de se faire surprendre lui a recouvert le front de sueur qu'il doit essuyer du revers de la main. Son cœur se met à battre plus rapidement lorsqu'il entend les pas qui martèlent le plancher au-dessus de sa tête. Puis, plus rien.

Au hasard, il se saisit d'une caisse de bières et remonte l'escalier.

Jack est au bar avec Simon Therrien et l'atmosphère entre les deux hommes semble plutôt tendue. Un peu plus loin, Ginette essuie les verres qu'elle vient de laver. La vue de Carl lui arrache un sourire complice, mais ce dernier se veut terne, comme si elle se sentait fautive de lui avoir permis de jouer les espions.

Après avoir déposé son fardeau près des réfrigérateurs, Carl contourne le comptoir et vient s'installer sur l'un des tabourets se trouvant complètement à l'autre bout pour ne pas risquer d'être entendu. Ginette se rapproche, pressée de savoir ce qui s'est passé de l'autre côté.

Contrairement à Meunier et Savoie, Réal Crevier est toujours présent dans la salle. Bien entendu, il ne pouvait pas quitter le Marinier sans faire ses salutations à Claudia qu'il avait, par la force des choses, laissée en plan à la table.

La déception est peinte sur le visage de la jeune femme.

Tout en racontant à Ginette ce qu'il a entendu, Carl garde un œil sur le couple Crevier-Bernard.

— Tu crois qu'il a pu faire une chose pareille ?
— Je n'en sais rien, Gigi. Difficile à dire. Il a toujours été un peu bizarre et imprévisible. Même Marjo en avait peur parfois.
— Moi je suis certaine qu'il n'a rien à voir avec tout ça. Réal est un peu bourru, j'en conviens, mais c'est un

homme d'honneur et je suis persuadée qu'il n'a rien à se reprocher. Si c'était le cas, il se serait rendu lui-même, il a toujours été franc et honnête. Faut quand même lui concéder ce qu'il a.

— Tu as sûrement raison. Il ne s'agit peut-être que d'une pure coïncidence.

La conversation s'est arrêtée entre Crevier et Claudia. Ils sont tous les deux songeurs et leurs regards errent sur les eaux du fleuve pendant un long moment.

Grimaçant en raison de sa déception, la jeune femme secoue légèrement la tête, puis, d'un geste amical, elle pose la main sur celle de son vis-à-vis.

— Je ne sais pas quoi vous dire. J'espère que tout ira bien pour vous.

— Ce n'est qu'une question de temps. Ils constateront très vite que je n'ai rien à me reprocher.

— Mais pour les prochains jours, vous devez rester ici! À terre, je veux dire.

— Ce n'est pas une obligation, mais je crois que c'est préférable que je sois disponible, comme l'a dit le maire.

Par dépit, Claudia laisse échapper un long soupir.

Bien sûr elle comprend que Crevier soit victime d'événements incontrôlables, mais tout ceci détruit son projet.

— La suite, c'est quoi?
— Ou bien vous attendez que je sois lavé de tout soupçon, ou bien vous vous trouvez quelqu'un d'autre. C'est à vous de choisir.
— J'ai l'impression que je vais devoir faire une croix sur mes vacances. J'imagine que tous les guides ont déjà des engagements.

Claudia a raison. Difficile de trouver quelqu'un à la dernière minute qui pourrait lui offrir un endroit agréable pour séjourner deux semaines.

— Je suis vraiment navré d'avoir ainsi gâché vos vacances. Si un jour, je peux vous être utile, ce sera un plaisir de vous rendre service.

Sur ce, Réal Crevier se dresse, tend la main à Claudia qui l'accepte, puis s'éloigne.
Son allure ralentit légèrement lorsqu'il aperçoit Ginette et Carl qui jasent tout en le regardant passer. Il s'arrête et fixe Carl un long moment alors que ce

dernier se détourne pour saisir son verre de bière posé sur le comptoir, prétexte évident pour éviter son regard. Cet homme lui a effrontément ravi la femme qu'il aimait pour ensuite l'abandonner sans pitié aussitôt après avoir obtenu d'elle ce qu'il désirait. Sûrement trop honteuse, elle a préféré quitter la région définitivement. Si seulement Marjo avait eu le courage de tenter une réconciliation, il l'aurait accueillie à bras ouverts tellement son amour pour elle était débordant.

Brusquement, Crevier fait demi-tour et file vers Claudia qui s'apprête également à quitter. Étonnée, elle le regarde revenir vers elle.

— J'ai peut-être une solution à notre problème. Mais je dis bien : peut-être.

Un rayon d'espoir frappe les yeux de la jeune femme qui s'illuminent instantanément, se reflétant sur les traits de son visage rehaussé d'un sourire.

— Voilà. Vous voyez l'homme qui est avec la barmaid ?
— Oui. Monsieur Lévesque. C'est lui qui a eu la gentillesse de vous prévenir, par téléphone, de ma présence.
— Exact. C'était mon meilleur ami, mais il y a deux

ans environ, un différend nous a en quelque sorte refroidis. Depuis ce temps nous n'échangeons que des banalités.

— Et vous croyez qu'il peut m'aider ?

— Possible que oui. C'est quand même un bon navigateur et il connaît beaucoup de gens tout le long du fleuve. Sûrement qu'il pourrait trouver un bon endroit pour vos vacances.

— Si je comprends bien, pas question que je demeure sur votre île. Vous m'avez tellement vanté sa tranquillité.

— Désolé, mais personne n'habite mon île si je ne suis pas là.

— Je vois. Eh bien ! Je n'ai pas vraiment le choix. J'ai besoin de ces jours de repos.

Crevier lève les yeux. Carl n'est plus au bar.

# Chapitre 9

Encore sous le coup de la déception, Claudia quitte le Marinier. Elle se doit de trouver un endroit pour passer la nuit. La soirée est malgré tout encore jeune, mais mieux vaut se dénicher un motel tout de suite. Elle n'a aucunement l'intention de se taper une heure trente d'auto pour retourner chez elle et refaire le même trajet le lendemain matin.

Si seulement ce Carl Lévesque n'était pas parti si vite, une entente concernant ses vacances aurait peut-être pu se conclure, ce soir même. Présentement, rien n'est assuré.

Pendant un instant, Claudia se demande même si elle doit continuer sa démarche. En apercevant la petite annonce de Réal Crevier dans le journal, l'idée de vivre deux semaines en toute tranquillité, loin des facteurs stressants de la routine, l'avait emballée. Mais à présent, l'enchantement semble se dissiper. Pourtant elle a besoin de côtoyer la solitude un certain temps. Se ressourcer.

La voiture de Claudia parcourt, à faible allure, la petite route sinueuse qui longe le fleuve en bordure duquel de superbes habitations se dressent tels des fantômes de châteaux disparus. Ce sont sûrement des gens riches qui demeurent dans le coin pour se permettre de telles fantaisies. Si un jour sa situation s'améliore, elle viendra vivre dans cette région. Pour le moment, elle se doit de se reposer pour se reprendre en main.

Un panneau lumineux annonce un motel à deux kilomètres. Motel avec bar. Pas question d'être trop difficile. S'il y a de la place, elle n'hésitera pas à prendre une chambre. Le prix n'a pas d'importance, son compte en banque lui permet sans problème de faire des petites folies, sans toutefois glisser dans l'exagération.

Trop occupée à regarder du côté du fleuve, Claudia ne voit pas un cycliste qui roule sur la bordure droite de la route. Ce n'est qu'au dernier moment qu'elle tourne la tête et l'aperçoit. Dans un réflexe étonnant, la jeune femme réussit à éviter de justesse l'infortuné qui, surpris par la proximité de l'automobile, zigzague sur quelques mètres avant de s'affaler sur le terrain gazonné d'une riche propriété.

Claudia immobilise aussitôt son véhicule. Son cœur bat à tout rompre. Elle sait très bien qu'elle a commis une négligence impardonnable. Au pas de course elle rejoint la victime qui, heureusement, ne semble aucunement blessée. Plié en deux, il tente de nettoyer nonchalamment son pantalon taché d'herbe à la hauteur des genoux. L'homme paraît tout à fait calme, au grand plaisir de Claudia.

— Vous n'avez rien ?

L'homme lève enfin la tête et aussitôt Claudia reconnaît en lui celui qui a découvert le corps de la femme qui s'est noyée dans le fleuve. Elle se souvient de son nom pour l'avoir entendu à plusieurs reprises au courant de la journée. Julien Nault.

Il se redresse brusquement. Sur son visage squelettique, qu'une barbe de plusieurs jours enlaidit, Claudia peut lire de la peur. Sûrement à cause du fait d'être passé si près de se faire percuter par la voiture. Pourtant, à bien y regarder, son expression dénote plutôt une certaine anxiété qui n'a rien à voir avec l'accident.

Soudain, il tend les bras en direction de la jeune femme et la saisit par les épaules. Ses yeux s'affolent et ne cessent de gigoter dans leurs orbites. Claudia tente de se défaire de cette emprise en reculant d'un pas, mais l'homme accompagne son geste sans lâcher prise. Sa tentative infructueuse n'a d'autre résultat que de faire croître la fébrilité de Nault qui laisse échapper de sa gorge toute une série de borborygmes sans signification évidente.

Cette fois c'est Claudia qui panique. La physionomie de Nault est apeurante et tous ces sons incompréhensibles qui lui déchirent les tympans ne font qu'augmenter son angoisse.

De son index pointé, il ne cesse d'indiquer le fleuve comme s'il tentait de faire comprendre quelque chose à Claudia. Cette dernière croit déceler le mot « non » à plusieurs reprises dans ses grognements. Sa tête qui ne cesse de tourner de gauche à droite confirme qu'il s'agit bien du mot « non ».

— Laissez-moi tranquille ! Laissez-moi partir !

Claudia a beau se débattre, mais malgré une frêle corpulence, Julien Nault la retient fermement d'une seule main. L'index toujours braqué sur le fleuve, il continue à grogner et à secouer la tête avec une nervosité excessive.

— Je vous en prie. Laissez-moi partir !

Nault cesse tout mouvement, une déception dans les yeux. Claudia est toute remuée de voir une telle expression. Puis, les doigts de l'homme relâchent leur prise. Elle est libre. Elle n'a plus qu'à courir vers son auto et s'enfuir à toute vitesse.

Avant de fermer la portière, elle jette un dernier regard vers le misérable, toujours figé sur place les yeux accrochés au fleuve. Un sentiment de pitié l'envahit. Néanmoins, il n'est pas question de tenter de communiquer avec lui. Ses réactions sont trop imprévisibles. Il lui donne froid dans le dos.

Se qualifiant intérieurement de sans scrupule, Claudia réussit tout de même à appuyer sur l'accélérateur et à s'éloigner du lieu de l'accident. En toute autre circonstance, même si Nault semble indemne, elle aurait eu la décence de prévenir la police du coin pour qu'un rapport d'accident soit établi en bonne et due forme, mais l'attitude traumatisante du malheureux l'a fait agir de façon irrationnelle.

Par le rétroviseur, Claudia voit diminuer l'image désolante de Julien Nault et, malgré le regret qu'elle éprouve à s'enfuir de la sorte, son désir de trouver un abri pour la nuit refait surface dans son esprit.

Cette fois, elle garde les yeux bien posés sur la route en délaissant la splendeur du fleuve. D'ailleurs, il y a un peu plus de voitures qui circulent dans le coin, alors pas question de créer un autre accident.

Le panneau du motel apparaît loin devant. Enfin elle va pouvoir se reposer si. bien sûr, une chambre est libre. Plusieurs autos sont stationnées devant le bar qui sert de devanture aux unités de logement et une immense arche surmonte l'entrée donnant accès au stationnement arrière. Claudia s'y engage et immobilise sa voiture devant l'unité sur laquelle le mot «Office» est inscrit.

— Votre nom et votre permis de conduire.

L'homme bedonnant derrière le comptoir ne cesse de la déshabiller du regard à travers ses lunettes qu'on croirait confectionnées avec des fonds de bouteilles que retient un affreux montant noir crasseux. Claudia mentionne sèchement son identité et lui tend brusquement son permis.

— Vous allez avoir le temps d'y jeter un œil, j'espère !

L'homme ne semble pas saisir l'allusion puisqu'il a toujours les yeux braqués sur les seins de la jeune femme. L'inconfort de cette dernière devient intolérable. D'un geste brusque, elle lui arrache son permis des mains et fait mine de tourner les talons.

Au même moment, une femme surgit d'une ouverture cachée par un long rideau et vient s'installer près du bedonnant qu'elle incite, d'un coup de coude, à lui céder la place.

— Va à l'arrière ! Je m'occupe de mademoiselle.

Penaud, l'homme d'une trentaine d'années disparaît, mais non sans avoir jeté un dernier coup d'oeil à la gracieuse silhouette de Claudia.

— Faut l'excuser, mademoiselle. Il est un peu demeuré, mais il n'est pas méchant.

Après un moment d'hésitation qui lui laisse entrevoir la possibilité de ne pas parvenir à trouver un autre endroit pour passer la nuit, Claudia se résigne à retourner au comptoir. Néanmoins, irritée par l'attitude inconvenante du commis, elle se doit de reprendre le contrôle d'elle-même afin de demeurer polie envers la tenancière de l'endroit qui, somme toute, semble d'une extrême gentillesse.

— Voilà votre permis et votre clé. L'unité numéro neuf. J'espère que vous passerez une très bonne nuit. Et encore une fois, je vous présente toutes mes excuses, mademoiselle Bernard.
— Merci.

Sans rien ajouter, Claudia file à l'extérieur. Jamais elle ne pourra comprendre le comportement de ces hurluberlus qui n'ont d'intérêt que pour la poitrine des femmes sans jamais, au préalable, les regarder droit dans les yeux.

Elle se doit de se calmer. Après toutes les émotions provoquées par les événements de cette journée qui lui trottent encore dans la tête, le sommeil va sûrement tarder à venir. Le mieux est de ne jeter qu'un œil à la chambre pour ensuite aller prendre un verre ou deux au bar. Un peu d'alcool pourrait avoir, sur elle, l'effet d'un somnifère. Une expérience à tenter ! Pourquoi pas !

L'endroit est assez sombre. Contrairement à ce

qu'elle pensait, la décoration n'a rien à voir avec le contexte fluvial de la région. Les murs sont plutôt ornés de toiles diverses. Des toiles de nus, pour la plupart, exposées là par des artistes encore inconnus.

De petites lampes à l'éclairage tamisé sont dispersées ici et là, surplombant quelques tables. De nombreux recoins intimes ont été créés par l'ajout de murets également décorés de toiles. L'endroit idéal pour des rencontres interdites.

Malgré tout, l'ambiance est invitante et Claudia n'hésite pas à s'installer à l'une des tables qu'un faisceau jaunâtre inonde.

Une serveuse court-vêtue s'empresse aussitôt de venir s'enquérir de sa commande. Elle porte une jupe ressemblant davantage à une simple bande de cuir noir qui révélerait assurément la couleur de son slip si elle levait les bras. Sa blouse de couleur crème, au décolleté assez provocant, a une transparence révélatrice qui ne laisse aucun espace à l'imagination.

— Un Blue Lagoon, s'il vous plaît.

Un breuvage bleuté qu'une de ses amies affectionne particulièrement et qui lui en a souvent vanté le bon goût tout en la mettant en garde contre ses effets hypocrites.

La serveuse cligne de l'œil et s'éloigne aussitôt, le sourire aux lèvres. Est-ce que le nom de ce breuvage évoque un certain désir ? Non, il a plutôt une connotation exotique.

Claudia laisse errer son regard pendant de longues minutes sur les occupants de l'établissement. Un ou deux visages lui sont familiers pour les avoir vus au Marinier.

— Voilà votre Blue Lagoon.

Claudia ouvre son sac à main et s'apprête à y soustraire un billet de dix dollars.

— Il ne vous coûte rien.

Elle regarde la serveuse, un point d'interrogation dans les yeux. Peut-être que la première consommation est comprise dans le prix payé pour la chambre. Impossible. Comment la serveuse peut savoir qu'elle a sollicité une chambre !

— Vous faites bonne impression. C'est le monsieur là-bas qui vous l'offre.

Claudia se prépare à protester. Elle n'est pas du genre à accepter quoi que ce soit d'un inconnu. Le faire pourrait laisser croire à cet individu qu'elle est d'accord pour qu'il lui fasse la cour.

Avant d'ouvrir la bouche, elle suit du regard l'angle du doigt de la serveuse qui lui indique la table où se trouve le mécène. Elle ne peut que discerner une silhouette car la pénombre ne permet pas à ses yeux de distinguer quoi que ce soit.

Et si, pour une fois, elle acceptait! Après tout, il y a assez de gens ici que cet homme n'osera rien tenter sans son consentement.

Ce n'est pas la première fois que la serveuse observe ce genre d'hésitation car, avant même d'entendre la réponse de Claudia, elle hoche la tête affirmativement à l'intention de l'inconnu. La jeune femme n'en revient pas, complètement estomaquée.

C'est inconcevable qu'une serveuse prenne sur elle l'initiative d'accepter ou de refuser un verre envoyé à une cliente par un parfait inconnu.

— Je connais le tabac. Vous auriez refusé instantanément si vous n'aviez pas eu l'intention d'accepter. Nous sommes comme ça, nous, les femmes, il nous faut toujours hésiter pour laisser planer un certain mystère.

Claudia sourit. La serveuse a décelé immédiatement son intention. Même si en apparence elle semblait réticente à se faire payer ce verre, elle s'en trouve tout de même flattée.

— Dites merci à ce monsieur de ma part.

Au même moment, l'homme avance légèrement sa figure toute souriante de façon à entrer dans un jet de lumière pour être vu de Claudia.

Cette dernière le reconnaît aussitôt. C'est Carl Lévesque lui-même. L'homme avec qui elle doit entrer en contact pour discuter des modalités de son séjour sur le fleuve. De l'index pointé, il touche son front en signe de salutation.

Claudia est vraiment heureuse de le voir dans cet endroit et, sans même songer un instant à l'interprétation que la serveuse pourrait donner à son geste, elle l'invite à la rejoindre. Quelle coïncidence ! Claudia est abasourdie.

— Asseyez-vous, je vous en prie.
— Quel accueil ! Je ne pensais pas vous faire autant plaisir en vous offrant un verre.
— Merci pour le verre. Mais en réalité, ce n'est pas

précisément pour cette raison que je suis contente de vous voir.

Lévesque est à la fois surpris et intrigué par cette déclaration qu'elle a formulée promptement comme si, pour elle, cette rencontre était inespérée.

— De quoi s'agit-il alors ? Ne me dites pas que vous êtes tombée instantanément sous mon charme !

Claudia est amusée par le manque de sérieux de son vis-à-vis. Rien de mieux qu'un brin d'humour pour entamer une conversation.

— Je ne voudrais d'aucune façon me permettre de critiquer votre charme, mais il n'est pas en cause.

Carl sourit malgré un petit pincement au cœur. Il aurait bien aimé charmer Claudia, mais quelque chose lui dit que cette dernière n'est pas intéressée à une quelconque relation. De toute façon, il ne la connaît pas suffisamment pour la juger, alors mieux vaut en apprendre plus sur elle avant de tenter sa chance.

— Dites-moi pourquoi vous êtes contente de me voir

alors ?

— Premièrement, nous avons à peu près le même âge, alors si vous le désirez, nous pourrions nous tutoyer. Cela faciliterait la conversation.

— Pas de problème avec ça. Je suis même du genre à détester le vouvoiement.

— Tant mieux, moi aussi.

— Alors. Viens-en au fait. Si mon charme n'a pas d'effet sur toi, il doit bien y avoir une raison.

Claudia prend une longue gorgée de son breuvage. Carl l'imite sans néanmoins la quitter du regard.

— Voilà ! J'avais planifié quelques jours de repos, ou plutôt de réflexion, dans un endroit isolé. C'est pour cette raison que j'ai rencontré monsieur Crevier. Après une longue discussion, il a fini par accepter de me laisser vivre sur son île pendant deux semaines. Mais comme tu as pu le constater cet après-midi, il s'est passé quelque chose qui a changé tous mes projets. Monsieur Crevier ne peut plus me prendre sous son aile. Apparemment, il doit rester à terre pour un certain temps.

— Oui, je sais. Une sale histoire tout ça.

— Tu crois qu'il y est mêlé ?

— Qui peut le savoir ? Tout est possible.

Carl fait une pause de quelques secondes pour réfléchir. Crevier ne lui a peut-être pas tout dit de la conversation qu'il a eue avec Savoie et Meunier. Il doit s'en être tenu à la noyade de Jacinthe. Les soupçons sont beaucoup plus graves que ça.

— Qu'est-ce que Réal t'a raconté au juste ?
— Qu'il n'a rien à se reprocher. Que la dénommée Jacinthe s'est noyée accidentellement. Qu'il ne l'avait pas vue depuis deux jours puisqu'il était sur son île.
— Il t'a aussi parlé de la mystérieuse disparition de ses deux dernières clientes ?

Claudia a un mouvement de recul. De toute évidence, Crevier ne l'a pas informée sur ce sujet. Probablement pour ne pas l'apeurer inutilement.

— Des disparitions ! Non, il ne m'en a pas parlé.

En moins de cinq minutes, Lévesque raconte à la jeune femme de quoi, en réalité, Crevier est soupçonné. Même qu'il en rajoute en faisant allusion à l'éventualité qu'un prédateur se promène sur le fleuve. Cette information est sûre, puisqu'elle lui vient de Jack qui lui a néanmoins fait promettre de n'en parler à personne. Tout le monde sait pourtant que la confidentialité est quelque chose de si fragile et qu'il est dans la nature de l'homme de ne pas respecter ses promesses.

— Un tueur en série !

Malgré la presque pénombre qui règne autour d'eux, Carl est persuadé que la jeune femme a blanchi davantage en écoutant ses propos. De longues secondes s'écoulent dans le silence. Seuls les éclats de voix de quelques clients viennent troubler ce moment de réflexion. Claudia n'est plus tout à fait certaine de vouloir demeurer dans le coin. Pourtant ce serait une très belle occasion pour elle.

— Finalement, tu ne m'as pas encore dit pourquoi tu étais contente de me retrouver ici !
— Tu as raison. En réalité, après ce que tu viens de me raconter, je voulais même éviter la question.
— Pourquoi ça ?
— Après avoir refusé de m'emmener dans son île, monsieur Crevier m'a suggéré de te demander de me

prendre en charge. Enfin, je veux dire, de me trouver un endroit solitaire pour que je puisse me ressourcer un peu.

Encore une fois Carl sourit à la jeune femme. Cela l'amuse beaucoup de constater avec quel inconfort elle aborde le sujet. Claudia ne semble pas être d'une nature timide, mais tout de même, elle démontre une certaine réserve.

— Donne-moi cent raisons pour que j'accepte.
— Cent! Mais, mais… tu n'es pas sérieux?
— Bien sûr que je le suis.
— Je n'en ai qu'une. C'est que j'ai réellement besoin de me retirer un peu de la civilisation et de me retrouver avec moi-même.
— Accepté!
— Quoi?
— C'est la raison la plus valable que je connaisse. Mais, dis-moi. Tu as des problèmes? Amoureux? Financier?

C'est au tour de Claudia d'éclater d'un rire franc. S'il s'agissait de problèmes amoureux, elle ne chercherait pas à se cacher ainsi. Elle se sent tout à fait capable d'affronter une telle situation sans avoir à se défiler.

— Non, pas du tout. Tu es complètement à côté du chemin. En vérité, le vrai problème, c'est que je suis en panne. En panne d'idées, en panne d'inspiration.

— Écrivaine ?

— Exact. Une écrivaine qui se retrouve jour après jour devant une page blanche depuis plus de trois mois. Une écrivaine qui doit subir les pressions incessantes de son éditeur. Une écrivaine en fuite devant ses obligations. Une femme qui doit remettre en question sa carrière.

— Doublement accepté !

La surprise fige les traits de Claudia. Elle qui croyait devoir discuter très longtemps pour convaincre Carl de remplacer Réal Crevier, c'est tout à fait le contraire qui se produit. En plus, il accepte spontanément, sans même s'enquérir de la rémunération convenue avec Crevier.

— Vraiment ! Tu ne veux aucun détail de l'entente que j'avais prise avec monsieur Crevier.

— Comme tu viens de le dire, ce ne sont que des détails.

— Pourtant, il y en a un qui est de taille et qui, malheureusement, ne tient plus.

— Lequel?

— Monsieur Crevier refuse catégoriquement que j'habite son île s'il est absent. Alors je ne sais même pas où aller.

— Ne t'en fait pas avec ça. Je connais un bel endroit qui fera tout autant l'affaire que l'Île du Passant.

Claudia est aux anges. Jamais elle n'aurait cru que tout se passerait aussi bien avec Carl. Elle est ravie. D'autant plus qu'il est bel homme et de compagnie agréable. Elle qui, une heure plus tôt, était incertaine de vouloir persévérer dans sa démarche, voilà qu'elle est emballée par l'idée de réaliser son projet.

— Dis-moi. Quel genre d'écrivaine es-tu?

— C'est justement le problème. Je me cherche. Mon dernier roman a fait un flop magistral. Une intrigue policière. C'est pour cette raison que je dois absolument tout remettre en question et trouver un genre d'écriture qui me convienne.

— Pourquoi avoir choisi le fleuve comme bouée de sauvetage?

— Une idée qui m'est passée par la tête alors que je

me laissais tremper, tout bêtement, dans mon bain.

Claudia répond au sourire de Carl qui est accroché à ses lèvres pour ne manquer aucun de ses mots.

— Je me suis mise alors à fouiller les journaux et je suis tombée sur l'annonce de monsieur Crevier. Bien sûr que ce qu'il offrait n'était pas exactement ce que j'espérais, mais je me suis dit que je pouvais réussir à le convaincre d'accéder à mes envies. L'argent sera toujours le meilleur moyen de persuasion, n'est-ce pas?

— Ou, de bonnes raisons.

Lévesque reste pensif un long moment. L'ébauche d'un scénario se développe dans sa tête. Un scénario qui pourrait sauver la carrière de cette charmante jeune femme. Carl ne sait encore pourquoi, mais Claudia a un effet tout à fait particulier sur lui. Jamais une femme n'a déclenché cette espèce de réaction.

— Je peux peut-être t'aider.
— Non. Tu n'y peux rien. C'est à moi de me débrouiller.
— À ta guise, Claudia. Pourtant, j'avais une super

idée de roman à t'exposer.

La jeune femme fait une grimace comme si elle regrettait déjà d'avoir refusé d'entendre ce que Carl voulait lui dire. On dit que les idées les plus loufoques deviennent souvent des idées de génie. En plus, la curiosité est un élément qui fait partie de son quotidien. Il est même un allié précieux pour sa carrière.

— Dis toujours. On ne sait jamais.

Après quelques secondes de réflexions, Carl décèle une certaine impatience dans les yeux de sa compagne et cela l'amuse. Pour faire durer le suspense, il interpelle une serveuse d'un geste de la main. Celle-ci comprend aussitôt lorsque Carl lui indique de l'index les deux verres posés sur la table.

Claudia ne tient plus en place. Carl l'a intriguée et elle est désireuse de connaître la suite de ce qu'il a à lui suggérer.

— Tu fais exprès pour me faire languir, n'est-ce pas ?

Il ne peut s'empêcher de rire tout en hochant la tête affirmativement. Claudia l'accompagne puis, après un moment, elle appuie ses coudes sur la table et replie ses mains sous son menton. Une position qui révèle son intention d'être patiente et qu'elle est prête à attendre toute la nuit s'il le faut. Toute la nuit. Carl ne demanderait pas mieux.

— D'accord, je me lance.
— Pas trop tôt !
— Je pensais à l'enquête de la S.Q. concernant le prédateur du fleuve. Je suis certain que cette histoire te ferait une excellente intrigue pour un roman. Ça pourrait même être un «best-seller». Par contre, ce n'est pas certain que la police obtiendra des résultats concrets d'ici deux semaines. Mais ce serait tout de même un bon départ de te familiariser avec cette portion du fleuve.

La suggestion, qui paraissait quelque peu audacieuse au début, se fait peu à peu une place dans l'esprit de Claudia. Jamais elle n'a tenté, jusqu'ici, de s'inspirer de faits vécus pour pondre un roman. Bien sûr, elle a déjà utilisé quelques bribes d'articles de journaux dans la rubrique des faits divers, mais sans plus. Peut-être est-ce la cause de ses insuccès.

— Et puis, ça te donnera l'occasion de revenir traîner dans le secteur plus souvent au cours de l'été.

Les coudes toujours appuyés sur la table, Claudia enfonce ses doigts dans sa longue chevelure d'ébène. Carl songe que c'est un bon signe, elle réfléchit à l'éventualité de se servir des méfaits du prédateur. De cette façon, il pourra inévitablement la revoir.

— Pas bête, ton idée.
— Je savais que ça t'intéresserait.
— Un instant. Je n'ai pas dit que je la prenais.

L'objection de Claudia glisse sur les espoirs de Carl comme une goutte d'eau sur un papier ciré. Il est convaincu de l'avoir appâtée de façon inconditionnelle.

— Commençons par nous rendre dans un endroit paisible où je pourrai, en toute tranquillité, réfléchir à tout ça. D'accord?
— À vos ordres, madame. Je suis à votre service. À quelle heure voulez-vous quitter le quai?
— Le plus tôt possible. Dès l'aube.

Carl regarde sa montre. Vingt-deux heures dix.

L'aube arrive extrêmement tôt à cette période de l'année. Huit heures, ce serait plus raisonnable. Il ne leur faudra qu'une trentaine de minutes pour atteindre leur destination.

Claudia accepte. Ça lui donnera l'opportunité de dormir plus longtemps.

# Chapitre 10

Le soleil a déjà pris de l'altitude et ses rayons sont cuisants. Les vents sont légers, mais ont suffisamment de force pour rider la surface du fleuve, ce qui pourtant n'affectera en rien la navigation. La journée va être superbe.

Comme chaque matin, de nombreuses mouettes tournoient au-dessus de la marina, en quête de nourriture. Les sacs à ordures, déposés près du hangar par Simon Therrien, ainsi que des poissons morts, abandonnés par des pêcheurs négligents, sont des proies très appréciées par ces volatiles. Même si ces derniers sont quelques fois dérangeants, Jack tient à ce qu'ils restent présents à la marina. Ce sont ses vidangeurs. Contrairement à beaucoup d'endroits où les mouettes sont chassées, la berge délimitant la propriété de Jack est continuellement nettoyée et n'apporte pas l'odeur désagréable de poissons en décomposition. Pour beaucoup de gens, il ne s'agit là que d'un détail, mais pour Jack, c'est un détail qui a une certaine influence sur l'achalandage de son commerce.

Carl s'affaire déjà sur son yacht à procéder aux vérifications d'usage. Il veut que tout soit parfait pour son petit voyage avec Claudia. Pas d'anicroche.

Sa montre indique sept heures trente-cinq. Juste le temps de faire un petit saut au Marinier pour déguster le café tout à fait spécial de Gigi. C'est devenu une drogue pour lui. Et puis, la patronne est toujours disposée à lui révéler les dernières nouvelles du coin. Elle lui apprend que Réal Crevier doit se rendre aujourd'hui même au poste de la Sûreté du Québec pour un interrogatoire. À défaut de se présenter, un mandat d'arrestation sera émis contre lui. Une preuve qu'on le soupçonne assez sérieusement.

De son côté, Carl informe son amie de l'entente qu'il a eue avec Claudia Bernard. Ginette s'amuse de la situation. Ils en avaient brièvement discuté la veille en faisant allusion au fait que ce serait peut-être mal vu par Crevier si Carl lui subtilisait sa cliente. Voilà que c'est chose faite. Par contre, c'est Crevier lui-même qui l'a recommandé à Claudia. Il est vraiment imprévisible ce Réal Crevier.

— Tu comptes l'emmener où, au juste ?
— Aucune idée précise pour l'instant. Comme c'est à la dernière minute, je n'ai pas pu faire de réservation nulle part, mais je suis confiant de lui trouver un endroit approprié pour ses besoins.
— Pas de doute là-dessus. Avec tous les contacts que tu as, je suis certaine qu'elle en aura pour son argent.

Elle fait une courte pause avant d'ajouter avec un sourire moqueur et un regard qui ne peut dissimuler sa pensée :

— À tous les points de vue.
— À t'entendre, ma chère Gigi, on dirait que je suis un grand séducteur. Tu sais très bien que je suis un vrai gentleman.

Tout en ricanant, Lévesque salue Jack et Ginette, puis quitte le Marinier et retourne à son bateau. Il sourit en constatant que Claudia sera probablement en retard, puisque normalement le départ devait s'effectuer à huit heures, soit dans cinq minutes à peine, et la jeune femme n'a pas encore donné signe de vie.

Déjà, plusieurs bateaux quittent le quai. Des plaisanciers qui veulent profiter au maximum de cette merveilleuse journée qui s'annonce. Pour ce qui est des pêcheurs, ça fait déjà quelques heures qu'ils errent sur le fleuve. C'est d'ailleurs parce que l'activité est toujours aussi fébrile à la marina de Jack que Carl y est resté accroché, il y a presque dix ans, alors qu'il était en quête d'un lieu propice à ses besoins.

Carl lève la tête. Une voiture vient d'arriver dans le stationnement. C'est Claudia. Ne portant qu'une petite valise, la jeune femme court jusqu'à la passerelle et s'y engage avec empressement.

— Il était moins une !

— Je sais, oui. J'ai dormi comme un loir. Je m'excuse.

— Pas nécessaire. Tu n'es pas en retard. Pas trop en avance non plus.

Ce n'est pas un reproche que lui fait Lévesque. Il aime bien taquiner les gens de la sorte, histoire de les mettre légèrement mal à l'aise pour s'amuser de leur réaction. Cela ne semble pas atteindre Claudia outre mesure. Après tout, c'est elle qui paie.

— Quelle est la destination ? Ou préfères-tu me faire une surprise ?

— Exactement. Aie confiance, tu ne seras pas déçue.

— D'accord, je me laisse guider comme une aveugle.

Carl tend la main à Claudia pour l'aider à monter à bord du yacht. Une agréable sensation l'envahit à ce simple contact. Les cheveux de la jeune femme frôlent sa joue. Son odeur est exquise, enivrante même.

— Tu peux déposer ta valise dans la cabine.

D'un signe de la tête Claudia approuve et s'engage aussitôt dans le petit escalier menant à la cale. Pendant ce temps, Lévesque détache les amarres et vient s'installer aux commandes de l'embarcation. Les moteurs vrombissent et, tout doucement, le yacht s'éloigne sous le regard de Simon Therrien qui arrive à l'instant sur le quai. De toute évidence, ce matin Carl n'a pas eu besoin de ses services. Cela le frustre légèrement. Sa curiosité est légendaire et souvent les habitués de la place s'en trouvent exaspérés. Nombreux sont ceux qui agissent comme vient de le faire Carl. Therrien n'a pas à savoir qui sont les passagers des embarcations et quelle est la destination de ces dernières.

Rendu à une centaine de mètres du quai, la

profondeur du fleuve permet à Carl de pousser les moteurs plus à fond pour accéder à une vitesse de croisière plus appréciable.

— C'est vraiment magnifique !

Claudia est émerveillée par cette sensation de liberté qui s'empare d'elle. Jamais elle n'aurait cru que le fait de naviguer ainsi pouvait lui apporter une telle excitation. Carl est surpris de voir à quel point la jeune femme apprécie cette balade. Elle s'est bien gardée de lui avouer son inexpérience sur les eaux. C'est en quelque sorte son baptême et c'est avec un léger pincement au coeur qu'il s'en proclame le célébrant.

— Magnifique, en effet. Rien au monde ne procure autant de plaisir que celui de naviguer sur le fleuve.
— Rien ? Vraiment ?

Les traits amusés de Claudia le font sourire. Le ton ironique qu'elle a employé lui donne à réfléchir. Intérieurement, il sait très bien qu'elle lui procurerait beaucoup plus de plaisir que le fait de glisser sur les eaux. Pour l'instant, il se contente de diriger son embarcation sans rien rajouter. Rien ne sert de précipiter les choses. Malgré son désir incessant, il se doit de garder la tête froide et d'attendre le bon moment.

Claudia détourne la tête, lève son visage vers le ciel et ferme les yeux. Quelle délicieuse caresse que celle du vent et du soleil sur sa peau. Comment a-t-elle pu se passer, pendant trente-trois ans, de sensations aussi ensorcelantes ? Elle est véritablement sous le charme. Plus rien n'existe autour d'elle que ces éléments enchanteurs.

Pendant de très longues minutes Claudia demeure ainsi sans bouger, s'abandonnant totalement à l'ivresse que lui apporte ce sentiment de liberté. Carl a tout le loisir de détailler ce corps splendide et quasi immobile qui s'offre à lui. Le frémissement du yacht coupant les vagues fait tressaillir ses seins sous sa blouse blanche que le soleil rend diaphane. Quel spectacle merveilleux !

Lévesque secoue la tête. Il se doit de penser à autre chose pour éviter que Claudia ne soit choquée en s'apercevant de l'excitation qu'elle provoque sur lui. Il détourne les yeux vers l'horizon. Plusieurs pêcheurs sont déjà à leur poste habituel. Il reconnaît le bateau de Michel Gendron, le seul pêcheur de la région détenant un permis commercial. Mieux vaut passer à une distance respectable pour éviter d'accrocher le filet qu'il tire.

— Nous sommes encore loin?

— Plus tellement, non. Même que nous allons bientôt devoir nous rapprocher de la berge. J'irai voir un ami qui possède une splendide petite villa. Avec de la chance, cette villa deviendra ton lieu de repos pour les deux prochaines semaines.

— Dans un village?

— En retrait d'un village. Aucune route ne s'y rend. Elle n'est accessible que par le fleuve à moins de marcher pendant des heures à travers la forêt qui l'entoure.

Claudia est soulagée. Elle ne veut en aucun temps être dérangée par des quelconques visiteurs. Carl connaît son désir de solitude. Elle peut lui faire confiance.

— Chouette, il y a des îles là-bas.

— Tu veux que l'on passe plus près?

— Ce serait bien, oui. J'aimerais.

— À vos ordres. De toute façon, j'avais bien l'intention de les contourner. Histoire de te faire découvrir l'endroit où tu devais normalement habiter pendant tes vacances.

Les yeux de Claudia s'agrandissent. Tout en ralentissant l'allure du yacht, Carl dépasse une première île, et une deuxième. Puis, non loin de là, une troisième apparaît. Lentement, l'embarcation bifurque vers la droite. L'île semble être de dimension très appréciable et envahie par une multitude d'arbres de différentes essences.

Par ses manœuvres, Carl présente l'oasis de façon à ce que Claudia puisse en admirer la beauté. Les abords sont magnifiques mais peu accessibles. De nombreux troncs d'arbres morts empêchent les embarcations d'approcher trop près. Au milieu d'un plateau plus élevé, une petite habitation fait face au fleuve. Un sentier de sable mène à un quai qu'escorte un immense abri pour bateau. Un garage flottant.

— L'Île du Passant. Un endroit superbe.
— Elle paraît si paisible au milieu de toute cette eau.
— Un paradis pour relaxer, n'est-ce pas ?

Claudia grimace à ces paroles. Carl doit la narguer. N'eût été de l'histoire entourant la noyade de cette

Jacinthe, elle aurait pu occuper cette île de rêve.

Tout à coup, le moteur du yacht se met à tousser. Légèrement, au début, mais de façon plus accentuée par la suite. Carl tente de réduire les gaz puis de les remettre à fond, mais sans résultat.

— Un problème ?

— Ça m'en a tout l'air. Pourtant, j'ai tout vérifié ce matin.

Heureusement, l'embarcation n'est qu'à une dizaine de mètres du quai. Carl tourne le volant. Le moteur s'arrête complètement.

— Tiens le volant. Je vais aller à l'avant pour amoindrir le choc.

Sans discuter, Claudia obéit. La sensation est agréable même si la situation ne l'est pas. Jamais elle n'aurait cru avoir à diriger un yacht de cette dimension. Une expérience qu'elle aimerait bien répéter à un moment mieux approprié.

— Ça y est, nous y sommes.

L'embarcation s'immobilise. À l'aide de ses pieds, Carl réussit à minimiser le choc de l'ac-costage. Aussitôt, il saute sur le quai, entraînant le câble avant servant à l'amarrage et, sans perdre de temps, Claudia lui lance le câble arrière.

— Tu étais vraiment destinée à mettre les pieds sur l'Île du Passant.

Claudia lui sourit. Cette escale imprévue va la retarder mais, après tout, cela lui donnera l'occasion de vérifier par elle-même les dires de Réal Crevier. Selon lui, c'est une île de rêve.

Un long moment, elle reste plantée au beau milieu du quai, les yeux perdus dans le décor paradisiaque qui s'offre à elle. Crevier avait raison. C'est splendide.

— J'en aurai sûrement pour un certain temps. Si tu veux visiter l'île, ne te gêne pas.
— Monsieur Crevier ne serait pas très heureux de nous trouver ici.
— Ne t'en fais pas. Je le connais bien. Un peu grognon, mais pas si méchant que ça. Et puis, nous ne

sommes pas ici volontairement. Il s'agit d'un cas de force majeure.

— D'accord.

— Auparavant, si tu veux, tu pourrais m'aider à entrer le yacht sous l'abri ?

Carl indique à la jeune femme l'une des amarres. Claudia s'en empare aussitôt pour retenir l'embarcation pendant que Carl la dirige vers l'entrée du garage flottant. La manœuvre se fait sans anicroche et, en quelques minutes, le yacht est à l'abri.

Tout au fond du garage, Claudia aperçoit deux longues boîtes rectangulaires. Des boîtes métalliques dont une multitude de perforations apparaissent sur chacun des côtés. Aux extrémités, des trous un peu plus gros.

— Elles servent à quoi ?

Carl se retourne dans la direction que pointe l'index de la jeune femme. Il hésite quelques secondes avant de répondre.

— Ça ressemble à des cages. Je n'en suis pas certain. Il s'en sert peut-être pour attraper des poissons où tout simplement pour les conserver.

L'explication est un peu tirée par les cheveux, mais Claudia s'en contente tout de même car, après tout, elle ne connaît rien à ce milieu marin. Une cage à poissons de près de deux mètres de long c'est peut-être exagéré, mais tout de même possible. Curieuse de nature, elle décide d'aller y voir de plus près. Du coin de l'œil, Carl la regarde se diriger vers le fond de l'abri.

Elle s'immobilise brusquement. Son regard se fige sur un amas de caoutchouc à demi dissimulé sous une bâche. Même si l'endroit est mal éclairé, elle reconnaît un canot pneumatique dégonflé et en lambeaux. Elle se sent blêmir. Des lettres peintes en rouge lui sautent aux yeux. Réal Cr...

Lentement, elle se retourne pour faire face à Carl qui, décelant son malaise, s'apprête à la rejoindre.

— Tu ne m'avais pas dit que les deux clientes de Réal Crevier étaient disparues avec le pneumatique?
— Oui, c'est ce que je t'ai dit. Et c'est ce qu'on m'a affirmé à moi, également.

Tout en prononçant ces paroles, Claudia tend un

doigt en direction de l'amas difforme responsable de sa stupeur.

— Il est là !

Surpris, Carl soulève la bâche pour découvrir entièrement le canot. Il est stupéfait, consterné par cette trouvaille. C'est la jeune femme qui, la première, sort du mutisme dans lequel ils sont plongés.

— Il faut prévenir la police.

Lévesque se retourne vers elle. Son regard s'affole. Ses mains tremblent légèrement. Sa gorge s'assèche.

— Qu'est-ce que tu as ? Ça n'a pas l'air d'aller !
— Il est un peu tôt pour alerter la police. Nous n'avons pas assez de preuves pour conclure à la culpabilité de Réal qui, soit dit en passant, était mon meilleur ami. Ça me trouble réellement de penser qu'il pourrait être celui que les policiers recherchent. En plus, il ne faut pas oublier que nous sommes ici sans permission.

Claudia observe Carl un long moment. Son embarras l'intrigue légèrement, mais elle comprend que cela ne doit pas être facile pour lui d'accepter la possibilité que Crevier soit un psychopathe. Néanmoins, il dit vrai. On ne peut accuser quelqu'un avec si peu d'éléments.

— Tu as raison. Et, comme tu me le proposais hier, cette histoire pourrait me faire une très bonne idée de roman. Alors je crois que je vais aller me balader sur l'île pour tenter de découvrir d'autres preuves.
— Bonne idée. Pendant ce temps, je vais remettre le moteur en marche pour que nous puissions quitter cet endroit le plus tôt possible.

La jeune femme acquiesce de la tête et quitte l'abri en jetant un dernier regard en direction de Carl.

# Chapitre 11

Claudia remonte le petit sentier de sable passant à proximité de la maison. Cette dernière est assez grande et bien entretenue. Deux lisières de fleurs ornent un trottoir en pierres qui serpente entre des bosquets de pivoines. Aux fenêtres, de chaque côté de la porte, des boîtes remplies de fleurs sont suspendues.

Claudia est émerveillée par la façade de la maison. Il ne lui était jamais venu à l'esprit qu'un homme seul puisse aménager sa demeure d'une aussi agréable façon.

Pendant un instant, elle est tentée de jeter un coup d'œil à travers l'une des fenêtres. Elle y renonce en songeant que ce n'est pas correct de regarder ainsi dans les maisons. Une pudeur mal placée puisque, présentement, l'habitation n'est pas occupée.

Un peu en retrait, un hangar se dresse. Il est

également en assez bon état, quoique, à un ou deux endroits, des planches semblent se détacher. La porte est verrouillée. Claudia tente de voir à travers les carreaux de son unique fenêtre, mais la saleté l'empêche de discerner quoi que ce soit.

Déçue, la jeune femme traverse entièrement le petit terrain gazonné et s'engage sous le couvert des nombreux arbres qui forment, en apparence, une véritable forêt. Il n'en est cependant rien. Après une centaine de mètres, la végétation s'éclaircit et laisse pénétrer le soleil en toute liberté. Un tapis de fleurs sauvages adoucit les pas de la jeune femme, subjuguée par toutes ces odeurs qui traînent sous son nez.

Devant elle, le fleuve. Ses vagues viennent mourir sur une plage sablonneuse jonchée d'une quantité incroyable de troncs d'arbres, de branches mortes et de débris divers que des navigateurs sans civisme jettent par-dessus bord.

Plus loin, sur le fleuve, Claudia aperçoit deux petits yachts jaunes qui flottent l'un près de l'autre. Personne à bord. Les ancres ont sûrement été descendues puisque les deux embarcations gardent leur position.

Tout à coup, une espèce de boule noire surgit des flots, juste à côté de l'un des yachts. La tête d'un homme. Un homme grenouille.

Puis, aussitôt, une deuxième tête apparaît. Une troisième. Une quatrième.

Au bout de quelques secondes, chacun des yachts est occupé par deux plongeurs. Claudia ne peut distinguer les traits de ces derniers à cause de la trop grande distance. Peut-être des débutants qui ne veulent s'aventurer pour l'instant que dans des eaux peu profondes. D'après ce que lui a dit Carl, à cette distance, il ne doit y avoir plus de six ou sept mètres. Claudia les considère tout de même courageux. Jamais elle n'oserait les imiter. Elle les envie d'avoir une telle témérité.

Claudia jette un coup d'œil à sa montre. Ça fait déjà quarante minutes qu'elle a quitté Carl. Il doit sûrement avoir terminé d'effectuer ses réparations sur le moteur du yacht.

Elle se retourne vivement pour refaire en sens inverse le trajet qui l'a menée sur la plage. Au-delà de la lisière de fleurs, quelque chose a bougé. Une ombre s'est brusquement mise à l'abri. Un frisson parcourt l'échine de la jeune femme. Son cœur s'accélère.

Figée sur place, elle tente de déceler un autre mouvement sous les arbres. Rien. Tout est calme. Les oiseaux, devenus soudainement silencieux, reprennent leurs gazouillis.

Claudia respire un peu mieux. Après tout, il ne peut rien lui arriver de grave car l'île n'est pas très grande et un seul cri attirerait aussitôt l'attention de Carl qui arriverait en trombe. Elle est consciente qu'il a un sérieux penchant pour elle. À moins que ce ne soit lui qui se cache pour l'épier. La timidité fait faire très souvent des choses incompréhensibles. Carl n'est pas un timide. Enfin en apparence.

C'est sûrement son imagination qui lui a joué un tour. Ça aussi, c'est courant lorsqu'une personne se retrouve seule dans un endroit désert. Claudia se sourit à elle-même. Son comportement est trop bête. L'ombre s'efface aussitôt de son esprit et elle se remet en route. Instinctivement, la jeune femme évite l'endroit où, quelques minutes plus tôt, elle a cru apercevoir une forme humaine. De toute évidence, son cerveau n'accepte pas totalement qu'il se soit agi de son imagination. Inconsciemment, un doute persiste.

Devant, entre les arbres, Claudia distingue le toit de la maison. Quelques enjambées et elle atteint le sentier. Un petit amas difforme gît sur les pierres du trottoir, en face de la maison. Claudia hésite à se pencher pour voir ce qu'il en est, mais la curiosité l'emporte. Un chiffon bleu, taché d'huile et de graisse. Un chiffon semblable à celui que son mécanicien utilise lorsqu'il répare sa voiture. Elle demeure pensive. Une seule personne peut l'avoir laissé tomber à cet endroit, et c'est Carl.

Aussitôt, le souvenir de l'ombre qui se cache derrière un arbre revient dans la mémoire de la jeune femme.

Mais pourquoi ?

La seule façon de le savoir est de le lui demander. D'un pas décidé, elle dévale le sentier et, en quelques secondes, elle se retrouve sur le quai.

— Carl !

Pas de réponse. Sûrement qu'il est trop occupé par les réparations.

— Carl ! Tu es là ?

Tout ce que Claudia réussit à faire, c'est d'apeurer quelques mouettes qui, poussant des cris stridents, s'envolent pour ne se poser qu'à une centaine de mètres plus loin.

La jeune femme demeure indécise un long moment alors qu'une certaine crainte l'envahit. Après tout, elle ne le connaît pas vraiment, ce Carl. Certes, il est charmant et d'agréable compagnie, mais elle ne peut s'expliquer pourquoi il est venu l'épier en secret de l'autre côté de l'île.

N'obtenant aucun signe de vie de la part de son compagnon, elle franchit prudemment la porte de l'abri flottant. Il n'est pas là. Sans faire de bruit, elle s'approche du yacht pour y jeter un coup d'œil. Personne.

— Tu me cherches !

Claudia sursaute violemment. Son cœur s'arrête l'espace d'un instant pour mieux s'emballer par la suite. La surprise est si soudaine qu'elle se sent blanchir d'un seul coup.

Vivement, elle se retourne vers la porte de l'abri. Carl est là, tout souriant, amusé par la situation. En apercevant les traits de Claudia, il comprend que ce n'était pas une bonne idée de la surprendre ainsi.

— Je suis désolé. Je ne croyais pas te faire peur à ce point.
— Tu aurais pu t'annoncer un peu au lieu de surgir de la sorte sans prévenir.

— Je m'excuse. J'ai été stupide. Je te prie de me pardonner.

Des larmes coulent sur les joues de Claudia, comme pour ajouter au malaise du mauvais farceur. La peur a été telle que la pauvre jeune femme en tremble encore. Carl s'approche d'elle et la saisit tendrement par les épaules. Il y a tant de tristesse dans les yeux de l'homme qu'elle s'en veut presque d'avoir eu une aussi vive réaction.

— C'est bon. Ça va passer. Tu m'as fait une de ces frousses !
— Ce n'était pas très brillant de ma part.
— Oublions ça.
— Je te promets de ne plus recommencer.

Claudia sourit à cet air peiné que lui offre Carl. Ses yeux remplis de culpabilité implorent le pardon. Lui en tenir rigueur serait de la cruauté pure et simple. Lentement, elle tend une main jusqu'à atteindre le visage de l'homme et lui caresse la joue.

— Ne t'en fais pas. C'est moi qui suis trop peureuse. Peut-être à cause de ce que tu m'as raconté hier soir.

Peut-être aussi parce que nous sommes sur l'île de celui qui est soupçonné de meurtre.

— Ne saute pas trop vite aux conclusions.

— Et également, peut-être parce que je ne te connais pas suffisamment et que...

— Et que je suis allé t'espionner sur la plage !

C'était donc lui. Qui d'autre aurait pu l'épier ainsi puisqu'ils sont seuls sur cette île !

— Pourquoi ?

— Tout simplement parce que je m'inquiétais de ne pas te voir revenir. Je n'ai pas eu la prudence de faire le tour de l'île en arrivant. Alors rien ne nous prouve qu'elle est déserte.

— Tu aurais pu, au moins, te montrer.

— En effet, j'aurais pu. Mais tu semblais si bien, si sereine parmi toutes ces fleurs. Je m'en serais voulu de t'avoir dérangée dans un aussi beau moment de solitude.

Un autre bon point pour lui. Savoir respecter ces périodes d'évasion est une qualité que beaucoup de gens espèrent retrouver chez leurs amis.

— Je te trouvais si belle dans ce décor.

Le cœur de Claudia reprend sa course folle dans sa poitrine, mais cette fois ce n'est pas la peur qui le fait tambouriner de cette façon. Carl penche la tête légèrement, son regard plongé dans celui de sa compagne. Son intention est claire et sans équivoque.

Claudia sent les mains de l'homme trembler sur ses épaules. D'étincelants, ses yeux sont passés à vitreux, comme si plus rien n'existait autour d'eux. Claudia ressent un malaise incompréhensible. Carl est vraiment attirant, alors pourquoi cette hésitation. Elle n'a qu'à entrouvrir les lèvres pour lancer distinctement l'invitation et le tour est joué.

Trop tôt !

Voilà la raison. Ils ne se sont rencontrés que la veille. Mieux vaut prendre quelques jours pour se connaître. Par contre, s'il insiste, Claudia n'est pas convaincue qu'elle pourra résister. Elle baisse les yeux et recule d'un pas. Carl est visiblement déçu. Il sourit malgré tout.

— Tu en es rendu où dans tes réparations ?
— Une petite pièce électrique qui a grillé.
— C'est grave ?
— Non. Mais il nous faudra attendre que quelqu'un

me l'apporte. J'ai téléphoné au Marinier. Jack va me la faire parvenir aussitôt qu'il aura retrouvé Simon Therrien.

— Bon! Ça va me donner le temps d'apprécier davantage cette île magnifique. J'espère que Monsieur Crevier ne viendra pas me gâcher ce plaisir.

Carl secoue la tête. Une ombre passe rapidement sur son visage.

— Il ne viendra pas. Il subit son interrogatoire aujourd'hui même. Il a été convoqué par les inspecteurs.

Claudia frissonne à l'idée que, sans la découverte du corps de Jacinthe, elle aurait pu se retrouver seule sur cette île avec un dangereux maniaque. Si Réal Crevier est le véritable prédateur, bien sûr.

Tout en parlant, Claudia se rapproche de la sortie. Cet endroit lui donne la chair de poule, avec ces sinistres cages en métal et ce canot pneumatique en lambeaux. Il est grand temps pour elle de commencer à tout remettre en ordre dans sa tête avant de coucher sur papier le début de son roman. L'idée de Carl germe en elle depuis la veille, lui redonnant l'espoir d'enfin sortir de cet état improductif dans lequel elle est plongée depuis trop longtemps.

— Tu veux que je te donne ta valise? Je vais rester un peu sur le yacht pour faire quelques téléphones. J'espère réussir à te dégotter un endroit aussi beau qu'ici pour tes vacances.

— Tu ne m'as pas dit que tu l'avais déjà trouvé?

— Oui, bien sûr, mais je dois quand même avoir la confirmation de mon ami et rien ne m'empêche de m'informer pour trouver un endroit qui répondrait davantage à tes désirs. Tu étais emballée à l'idée de vivre sur une île, alors si je peux réaliser ton rêve, cela me fera un grand plaisir.

— Très bien. Ta sollicitude me touche réellement. Pendant ce temps, j'irai relaxer sous les arbres, près de la maison.

Sans attendre d'autres commentaires, Claudia sort enfin de l'abri. Dehors, le soleil est encore plus radieux, même que la chaleur devient presque insupportable. Sa valise à la main, la jeune femme s'engage sur le sentier. Le couvert des arbres lui apportera sans doute un peu de fraîcheur.

Elle a vu juste. Les branches feuillues d'un saule pleureur, faisant office de bouclier, la protègent totalement contre les rayons brûlants. À même le sol, Claudia s'assoit, le dos appuyé au tronc de son bienfaiteur. Une légère brise lui apporte, jusqu'aux narines, les odeurs du sous-bois mêlées à celle que dégagent les algues emportées sur la plage par les vagues.

Pendant quelques minutes, elle se sent libre, n'ayant en tête que cette sensation agréable de planer dans une solitude euphorique.

Malheureusement, ce n'est que de courte durée. Une piqûre douloureuse sur l'épaule la tire cruellement de son pays des merveilles.

Un moustique.

D'un mouvement brusque de la main elle tente de le chasser, mais malencontreusement, l'insecte est écrasé. Claudia échappe un juron en apercevant la petite tache de sang sur sa blouse. Si seulement elle avait quelque chose sous la main pour effacer cette tache le plus rapidement possible.

L'espace d'un éclair, elle songe à la maison de Crevier. Il y a peut-être un produit antitache à l'intérieur. À quoi bon songer à cette éventualité ? Elle n'ira tout de même pas jusqu'à forcer l'entrée.

Un sourire se dessine sur ses lèvres. Pourquoi pas ?

Non, ce serait vraiment un geste absurde. Risquer d'être accusée d'intrusion par effraction pour une simple blouse achetée à rabais dans un magasin bas de gamme.

Son regard se pose néanmoins sur l'habitation. Elle a l'allure d'une de ces maisons que l'on voit dans des films à suspense, arborant un aspect mystérieux.

Deux fenêtres sombres, malgré les boîtes fleuries, ressemblent à de grands yeux qui surveillent la porte tout aussi sombre.

Claudia ne l'avait pas vue de cette manière lors de son arrivée sur l'île. Elle lui était apparue plus coquette. Son projet d'écrire une histoire sordide doit commencer à l'influencer plus qu'elle ne le pense.

Elle rejette son idée folle d'entrer dans la maison, mais rejette aussi la fausse pudeur qui l'a empêchée auparavant de risquer un œil à l'intérieur.

Avec un léger sourire malicieux, elle se lève lentement et quitte l'abri du saule. Un regard vers le quai. Personne. Carl n'a pas quitté le garage flottant.

D'un pas incertain, Claudia se dirige vers l'habitation mystérieuse. Elle se sent un peu délinquante d'avoir une telle intention. La sensation est pourtant merveilleuse. Une dernière fois, elle balaie du regard le sentier de sable et le quai. Toujours personne. Qui pourra l'accuser d'indiscrétion !

Sans faire de bruit, comme si elle avait vraiment besoin de cette précaution, elle gravit les deux marches donnant accès au perron. Les mains en coupe, elle se colle à la fenêtre de gauche. Les carreaux sont propres, mais la luminosité est minimale. Une table et une chaise se trouvent au milieu d'une petite pièce aux murs complètement nus. Claudia n'arrive même pas à distinguer si ces murs sont peints ou non. Au fond, elle réussit à discerner un comptoir sur lequel n'apparaît qu'un bloc de bois servant de gaine à une série de couteaux de différentes longueurs. Rien d'autre.

De toute évidence, Crevier s'occupe davantage de l'extérieur de sa maison. Carl avait entièrement raison, Réal Crevier est un homme bizarre. Pas étonnant qu'on le soupçonne de meurtre.

Claudia se rend à la fenêtre de droite. La pièce, dans laquelle son regard est plongé, n'est pas plus attirante que la précédente. Contre le mur de gauche, un petit bureau qui sert de support à une lampe à l'abat-jour défraîchi et jaunâtre. À un mètre à peine de ce bureau, une autre table. Cette dernière est plus basse que celle de la cuisine, plus longue et plus étroite. Encore une bizarrerie de Crevier. Cet homme n'a réellement pas de goût en ce qui concerne la décoration. Claudia grimace. Vivre dans une atmosphère aussi lugubre pendant deux semaines ne l'aurait sûrement pas emballée.

Elle tourne la tête vers la droite. Il n'y a pas de mur. La pièce semble néanmoins communiquer avec une autre. Une porte d'arche. Malheureusement elle ne peut rien distinguer de cette autre pièce, sauf un détail inusité. Fixé au plancher de bois, un anneau de métal. Un anneau de plusieurs centimètres de diamètre. Cela lui fait penser au genre d'attache qui retenait prisonniers les galériens de la Rome antique. Étrange.

Claudia recule, abasourdie. A-t-on idée de visser au plancher un anneau de la sorte au beau milieu d'une pièce ! Il y a sans doute une explication. La jeune femme demeure pensive un long moment.

Une trappe menant à la cave !

C'est sûrement ça. Elle ne voit aucune autre raison.

Il serait vraiment intéressant de visiter la maison. Sûrement qu'elle y découvrirait d'autres bizarreries. Peut-être même qu'elle trouverait des preuves incontestables incriminant Crevier. Claudia baisse la tête par dépit, résolue à se contenter de cette inspection oculaire à travers les fenêtres.

Quelque chose attire son attention. Un petit récipient de verre est dissimulé derrière l'un des géraniums poussant dans la boîte à fleurs. Il est à demi enfoncé dans le terreau. Avec hésitation, Claudia le retire et constate avec joie qu'il renferme une clé. Sûrement celle de la maison. Quelle chance ! Son vœu le plus cher, pour l'instant, se réalise. Rapidement, elle tourne le couvercle du contenant qui n'offre aucune résistance.

Elle sent l'intérieur de son corps frémir, tellement sa joie est immense. Son excitation augmente à chacun de ses pas en direction de la porte. Dans quelques secondes, elle aura enfin le loisir de pénétrer dans l'antre de Réal Crevier, et ce, sans laisser aucune trace d'effraction.

Au moment où Claudia s'apprête à introduire la clé dans la serrure, un vrombissement se fait entendre. Ça semble provenir du garage flottant. La jeune femme quitte le perron et s'avance de quelques pas sur le trottoir. En bas, le yacht de Carl fait son apparition. La déception se lit sur le visage de Claudia. Elle ne peut tout de même pas passer à côté de cette chance inouïe. Son seul choix est d'avouer à son compagnon la découverte de la clé. Il tentera probablement de la dissuader d'exécuter son projet, mais elle est bien décidée à le mener à terme.

En apercevant Claudia, Carl fait un grand geste de la main pour attirer son attention. Elle est acculée à un dilemme. Pénétrer immédiatement dans la maison et attendre que Carl vienne la rejoindre, ou tout simplement aller lui parler. Elle se doit de le rassurer. Quoi qu'il arrive, elle assumera la pleine responsabilité de son infraction, et jamais son intégrité ne sera mise en cause.

Claudia lui retourne son signal et dévale aussitôt le sentier.

— Tu as enfin réussi à le réparer !
— Temporairement. La pièce doit absolument être remplacée.
— Pas de nouvelle de Therrien ?
— Rien pour l'instant.

Carl fait une pause, visiblement embarrassé. Il cherche un instant le regard de la jeune femme, mais ce dernier se perd sur les eaux du fleuve. Il a l'impression que ce contretemps ne lui plaît pas du tout.

— Je suis désolé pour cette perte de temps. Je dois me

rendre sans faute à la marina. L'heure avance et on ne peut se permettre d'attendre plus longtemps après Therrien.

— La suite, c'est quoi?

— J'ai pensé que tu pourrais m'attendre ici. Même que ce serait préférable. Le moteur peut faire défaut à tout moment. Tu ne trouverais pas ça très agréable, je crois.

Une opportunité inattendue que Claudia ne peut manquer. Plus nécessaire d'informer Carl de sa trouvaille. Une excitation juvénile s'empare de ses entrailles et l'envahit complètement. Elle tourne la tête de peur que son compagnon ne s'en rende compte.

— Je t'attendrai sagement sous les arbres. Prends tout le temps qu'il te faut.

Lévesque approuve de la tête. Sa montre indique deux heures dix. La marina n'est pas très loin, la réparation pas très compliquée.

— J'en ai pour deux heures tout au plus.

Le sourire aux lèvres, Claudia salue de la main

son compagnon, puis se retourne pour reprendre
la direction de la maison alors que l'embarcation
s'éloigne déjà du quai.

# Chapitre 12

À trois mètres de profondeur, l'eau se rafraîchit
quelque peu. Les quatre plongeurs évoluent néanmoins
dans le plus grand confort, grâce à leur combinaison
caoutchoutée conservant la chaleur de leur corps.
Avec le soleil qui plombe à la surface, le fond fluvial
a un véritable aspect de paradis. Quelques poissons
s'enfuient à l'approche des intrus et disparaissent
dans les longues algues qui ondulent quelques mètres
plus bas. Un banc de perchaudes est ainsi englouti
par cette végétation verdoyante, entrecoupée ici et là
d'éclaircies sablonneuses.

Conrad Lemaire semble être le chef de cette
équipe de plongeurs puisque, de la main, il invite
deux d'entre eux à prendre une autre direction. Même
si leur petite excursion dans le St-Laurent n'est que
pour le plaisir, mieux vaut en profiter pleinement en

explorant à fond le secteur où ils se trouvent et peut-être même découvrir des trésors oubliés, ce qui paraît invraisemblable, étant donné le peu de profondeur dans laquelle ils évoluent. Néanmoins, tous les adeptes de plongée ont cet espoir bien ancré en eux, ce qui constitue leur principale motivation pour aller de l'avant dans ce sport aussi imprévisible que captivant.

François Rochon et Julie Sauvé s'éloignent aussitôt de Lemaire et de Deborah Sims. Deux jeunes couples du début de la vingtaine qui partagent la même passion, celle de goûter à la formidable sensation de liberté dans un monde de silence presque absolu.

Encore cette année, ils se limiteront à des endroits peu profonds, mais dès l'an prochain, ils comptent bien faire leur baptême de la mer en se rendant dans la région gaspésienne où de nombreux vestiges des temps passés reposent encore sur les fonds rocailleux.

Aujourd'hui est néanmoins un jour très important pour trois des membres du groupe. En effet, Conrad est le seul à avoir osé affronter les dix mètres de profondeur et c'est ce que s'apprêtent à faire les autres compagnons.

François et Julie restent à bonne distance de leur couple d'amis, sans toutefois les perdre de vue. Leur manque d'expérience les oblige à la plus grande prudence car trop nombreux sont les amateurs de plongée qui ont été pris de panique après s'être crus abandonnés par leurs compagnons.

La clarté du soleil diminue progressivement mais, quoique légèrement plus sombre, le fond du fleuve demeure quand même très visible. Julie constate que la végétation se fait moins dense, malgré que les algues atteignent encore près de deux mètres. Des petits pics rocheux viennent ajouter au cachet enchanteur du décor. Une multitude de petits poissons tournoient en virevoltant autour de ces pics, puis disparaissent comme par magie entre les longs filaments verdâtres formant un véritable tapis mouvant.

À quelques occasions, François remarque la présence d'un poisson plus volumineux, reposant immobile sur le fond, attendant le moment propice pour se nourrir de proies imprudentes. Avec la rapidité de l'éclair, il s'élance sur les bancs de menés et en dévore une quantité impressionnante en quelques coups de gueule. Le spectacle est hallucinant. Sa réputation n'est pas surfaite. Le brochet est bel et bien, par sa voracité, un vrai requin d'eau douce. Le couple Rochon-Sauvé en est témoin.

Un peu en retrait, Julie examine avec soin les étangs de sable parsemés de roches poreuses sur lesquelles des planctons s'agglomèrent en de petites masses difformes. À travers un nuage de bulles d'air évacuées par François, elle aperçoit une étrange pierre rectangulaire qui doit faire dans les deux mètres de long. Comment les eaux du fleuve ont-elles pu sculpter avec autant de symétrie une pierre aussi volumineuse ?

En quelques coups de palmes, la jeune femme descend d'un mètre et se dirige vers sa trouvaille. Sa vision, devenue plus claire, lui permet de mieux détailler la pierre et de constater, avec étonnement, qu'il y a du mouvement tout autour, soulevant imperceptiblement le sable environnant.

Ce n'est pas une pierre !

Julie le constate en décelant sur l'objet toute une série de petites perforations trop bien alignées pour être l'œuvre de la nature.

Une cage !

Elle ne peut concevoir que des gens puissent utiliser ce genre de piège pour capturer des poissons et qui, par une utilisation abusive, peut décimer une espèce au point de la faire disparaître. Trop souvent ces cages sont abandonnées et leurs prisonniers meurent inutilement après une très longue agonie. L'aspect empoussiéré de cette dernière révèle à Julie qu'elle a bel et bien été oubliée sur le fond fluvial depuis plusieurs jours.

Il y a pourtant encore de la vie à l'intérieur !

Lentement elle s'approche de l'énorme boîte métallique. Quelques petites anguilles prennent la fuite en s'échappant par les ouvertures un peu plus grandes se trouvant aux deux extrémités de la cage.

Au moment où la jeune femme touche cette dernière, les nuages de sable augmentent de façon ahurissante. Du bout des doigts, elle sent le métal frissonner par les assauts de la colonie de poissons emprisonnés à l'intérieur.

Rapidement, Julie inspecte l'immense boîte de laquelle d'autres anguilles effrayées réussissent à s'évader et à disparaître aussitôt, sans se préoccuper du sort de leurs congénères.

Deux loquets retiennent l'une des faces les plus longues de la boîte.

Julie n'a plus qu'une idée en tête, c'est de délivrer sans attendre les captives, mais elle se doit néanmoins d'être prudente. En étant libérées toutes à la fois, les anguilles apeurées pourraient la mordre au passage.

Heureusement, inquiet de ne pas voir sa compagne le suivre, François a rebroussé chemin pour la rejoindre près de la cage et, aussitôt, un langage gestuel s'engage entre les deux amis. Au bout d'une minute, ils sont fins prêts à procéder à la délivrance des prisonnières.

Julie débloque le premier loquet et tente de retenir le couvercle qui fait quelques soubresauts sous les coups répétés des anguilles. À son tour, François retire le dernier loquet et se réfugie aussitôt, en compagnie de Julie, derrière le couvercle qui se soulève brusquement. Des dizaines et des dizaines d'anguilles sont libérées du même coup en se tortillant d'excitation.

L'eau se brouille rapidement alors qu'une danse effrénée se déroule devant les plongeurs, occasionnant un certain remous. Avant de quitter définitivement, les anguilles tourbillonnent dans tous les sens en ondulant gracieusement leur corps visqueux.

Julie et François se réjouissent de leur bonne action et se félicitent du regard. Ils ont l'impression d'être subitement devenus des défenseurs de la faune aquatique. Une aventure qu'ils ne manqueront pas de raconter à leurs amis aussitôt retournés au yacht.

Tout à coup, à travers le brouillard, une forme allongée et inerte se dessine. Ni François, ni Julie ne peuvent dire de quoi il s'agit, mais cela semble avoir été expulsé de la boîte par le remous provoqué lors de la sortie massive des anguilles.

Poussée par la curiosité, la jeune femme tend le bras et touche l'amas difforme qui bascule lentement dans sa direction.

L'horreur se lit instantanément sur le visage de Julie. Son coeur s'accélère pour atteindre un rythme fou. Tout autour de son masque de plongée, des bulles d'air s'échappent. Sa gorge se serre à tel point que l'oxygène commence à manquer.

À quelques centimètres à peine devant elle, un visage cauchemardesque semble la narguer. Un visage en décomposition, à demi mangé par les anguilles. Les yeux et le nez sont absents. À vrai dire, il ne reste que quelques lambeaux de chair bleuâtre encore accrochés au crâne tout entier. Le corps lui-même n'est plus qu'un macabre amas d'os et de morceaux de chair qui se détachent au moindre mouvement.

Soudain, la panique.

Julie est prise de convulsions et ses bras fouettent frénétiquement la masse d'eau qui l'entoure. Elle se sent complètement perdue. Son seul désir est de remonter à la surface sans plus attendre.

Peu consciente de son environnement, la jeune femme ouvre la bouche et laisse échapper un cri effroyable. Le liquide froid la pénètre aussitôt, puis d'un grand coup de palme, elle s'élance vers le haut.

François, également sous le choc, tente de la retenir. Trop tard.

D'un geste brusque et inconsidéré, il arrache la montre qu'il avait repérée un peu plus tôt au poignet du cadavre et s'empresse de poursuivre sa compagne.

La remontée est trop rapide. Un malaise se fait ressentir au niveau des poumons, mais heureusement, disparaît après quelques secondes.

Julie flotte à la surface. Le temps presse. François aperçoit l'un des yachts jaunes qui approche. Des bras puissants saisissent la jeune femme et la tirent hors de l'eau.

— Donne-moi la main !
— Comment va-t-elle ?
— Allons, prend ma main. Deborah s'en occupe.

François est exténué. Ses yeux sont remplis d'anxiété. Dans sa tête, le cadavre n'existe plus. Tout ce qui compte pour l'instant, c'est l'état de sa compagne.

— Julie !

Il s'accroche au bras tendu de Conrad et, en un seul mouvement, il est hissé sur le yacht. De ses mains fébriles, il défait les sangles retenant sa bouteille d'oxygène.

Deborah est agenouillée près du corps inerte de Julie et de ses mains jointes, elle lui masse la poitrine. La jeune noire se penche et colle sa bouche à celle de la noyée pour lui insuffler de petites bouffées d'air.

En alternance, le massage cardiaque et le bouche-à-bouche se répètent pendant presque cinq minutes. Des minutes qui paraissent une éternité à François et Conrad, inquiets du sort réservé à Julie.

Tout à coup, la jeune femme se cabre en toussant à fendre l'âme, puis tourne la tête et vomit.

Vidée de toutes ses forces, Deborah réussit néanmoins à lever les bras vers le ciel et à crier un « hourra » formidable. La joie recouvre le visage des trois amis entourant la ressuscitée. Les yeux hagards de cette dernière se posent à tour de rôle sur ses sauveteurs puis, tout à coup, l'horreur l'envahit. Devant ses yeux réapparaît le cadavre déchiqueté par les anguilles. Tous ces morceaux de chair tourbillonnant autour d'elle et venant se coller à la vitre de son masque de plongée.

Pour la seconde fois, Julie vomit sur le plancher du yacht.

François s'empare d'une bouteille d'eau potable et verse la moitié du contenu sur un linge propre, puis essuie avec tendresse le visage souillé de sa copine.

— J'ai eu si peur de te perdre.

— C'était qui, là-dessous ? Dis-moi que nous avons rêvé !

La jeune femme s'accroche à François et le sert très fort dans ses bras. Sur ses joues, des larmes coulent en cascade. Elle se sent tellement lasse.

— Je ne sais pas qui c'est, mais n'y pense plus. Nous allons avertir la police. Ils s'en chargeront.

Malgré leur incompréhension, Conrad et Deborah n'osent pas poser de questions. Plus tard, ils auront l'opportunité de savoir ce qui s'est passé là-dessous. D'ailleurs, ils ont eux aussi des choses à raconter concernant toutes ces boîtes étranges qui reposent au fond, dissimulées par les algues.

— François a raison. N'y pense plus. Je suis tellement heureuse que tu sois hors de danger. C'est ce qui importe le plus.

— C'est grâce à toi, Deborah. Je te remercie du fond du cœur.

— Tu en aurais fait autant pour moi. Alors oublie ça.

Les deux jeunes femmes se serrent l'une contre

l'autre et s'embrassent sur les joues.

— Et moi ! On me laisse de côté ? Je n'ai pas droit à une embrassade ?

Julie délaisse son amie et s'élance au cou de Conrad en souriant.

— Merci à toi également. Tu es aussi un véritable ami, tu le sais bien.
— Ah enfin ! C'est ça que je voulais entendre.

À son tour, le jeune homme embrasse Julie sur la joue et la sert contre lui.

— Eh ! Eh ! Lemaire ! Faut quand même pas exagérer.

Les quatre compagnons éclatent de rire. Un rire nerveux, il va sans dire, mais néanmoins un rire honnête, franc, comme c'est toujours le cas entre eux.

Cette aventure aura été éprouvante pour tous, mais elle aura permis cependant de consolider davantage leur amitié.

Pendant quelques minutes, le quatuor demeure silencieux, à apprécier tout simplement le fait d'être ensemble. Ils sont tous conscients d'avoir frôlé de près la tragédie. Quelques secondes de plus et Julie aurait pu y rester.

— Je ne veux pas jouer les rabat-joie, mais je pense qu'il serait préférable de te faire examiner par un médecin.

— Ne t'en fais pas, Deborah. Je me sens très bien. Pour l'instant, la priorité est de communiquer avec la police.

— De quoi s'agit-il au juste ?

Julie baisse la tête. Elle est incapable d'ouvrir la bouche. La macabre vision est encore trop présente dans son esprit. Un long frisson la parcourt et tout son corps tremble.

François se rend compte que Julie ne pourra fournir aucune explication. Elle aura tout de même à répondre aux questions des policiers, mais pour l'instant, elle n'en a pas le courage.

En quelques minutes, François raconte à ses amis ce qu'ils ont vu au fond du fleuve. Conrad et Deborah sont estomaqués par le récit. Ils ont été à deux doigts de commettre la même erreur, soit d'ouvrir l'une de ces cages qu'ils ont aperçues. La jeune femme noire fond en larmes. Elle et son copain ont la même pensée, chacune des boîtes découvertes doit contenir un cadavre.

— Qu'est-ce que vous avez? Votre regard me semble bizarre.

C'est au tour de Conrad de baisser la tête. Il a visiblement été dérangé par les explications de François.

— Nous avons trouvé des boîtes, nous aussi.
— Quoi! De grandes boîtes de métal?
— Nous en avons vu pas moins de cinq.
— Mais c'est dément! Ça veut dire qu'il y a en dessous de nous six macchabées qui se font bouffer par les anguilles?
— J'en ai bien peur.

Julie éclate en sanglots. L'échange entre son compagnon et Conrad lui fait littéralement dresser les cheveux sur la tête. L'horreur de la situation est insoutenable. Pourtant c'est elle qui ose prononcer tout haut ce que tous pensent intérieurement.

— C'est l'œuvre d'un maniaque. Un tueur en série ! Et nous avons découvert sa façon de procéder pour faire disparaître ses victimes.

— Il faut partir d'ici, au plus vite !

— Ne t'emballe pas, Deborah. Il n'est sûrement pas dans le coin. En plus, ça fait peut-être longtemps que ces meurtres ont été commis.

François désapprouve de la tête.

— Pas tant que ça, Conrad. Tu oublies qu'il y avait encore de la chair sur le corps que nous avons vu. Avec le nombre d'anguilles enfermées dans ces boîtes, il ne faut pas beaucoup de temps pour qu'un corps soit totalement dévoré.

— Tu as raison. Alors, partons d'ici. Pas question de se faire surprendre par ce monstre.

François se lève de son siège, comme un ressort qui se détend, pour se rendre à l'avant du yacht. Son pied touche quelque chose. Il baisse les yeux. La montre !

Il l'avait complètement oubliée, celle-là. Pourquoi l'a-t-il arrachée du bras du cadavre, il n'en sait absolument rien. Probablement par instinct.

Pendant un court instant, il regarde ses compagnons, puis se penche pour ramasser l'objet. Une montre de femme en or avec un bracelet en cuir à moitié rongé qui s'est brisé facilement lorsque le jeune homme s'en est emparé. François plisse les yeux. Il y a une inscription à l'arrière. Un nom.

— Barbara.
— Encore une pauvre femme qui a subi la folie d'un fou.

Le silence revient dans l'embarcation. Personne n'a le cœur d'ajouter quoi que ce soit. François enfouit la montre dans un petit sac de caoutchouc qu'il porte à la ceinture, puis se rend à l'avant du yacht. Sans perdre de temps, il s'empare du filin qui retient le deuxième yacht. En quelques secondes, ce dernier arrive à sa hauteur.

— Allons, Julie. Monte.

Elle s'exécute aussitôt et prend place sur l'un des bancs arrière. Deborah lui tend son équipement de plongée qu'elle dépose dans un coin, sans grande précaution.

— Toi et Julie, allez voir la police. Ils vont sûrement être surpris de notre trouvaille.

— Vous ne venez pas avec nous ?

Conrad ferme les yeux tout en levant la tête, comme pour réfléchir.

— Tu sais. Moi et les flics, ce n'est pas le grand amour. Et puis j'ai quelques grammes de pot sur le yacht et il n'est pas question que je les jette.

— D'accord. D'accord. Vous allez faire quoi ?

— Nous rendre à l'île, comme convenu. Nous devions camper là, non ! ?

— Tu oublies qu'il y avait quelqu'un sur cette île, cet avant-midi.

— Nous verrons bien. En plus ça va me permettre de cacher la drogue. Alors si les policiers tiennent absolument à nous causer, il n'y aura pas de problème.

— Comme tu veux. Je ne sais pas à quelle heure nous pourrons revenir, mais chose certaine, nous reviendrons.

Les deux hommes se serrent la main. François saute dans son yacht et s'installe au volant.

— François, n'oublie pas d'indiquer sur la carte la position des cadavres.

Il tend le poing avec le pouce levé en direction de Deborah pour lui confirmer que ce sera fait. Le yacht bondit légèrement et s'éloigne rapidement.

Pendant un instant, Conrad reste songeur, puis imite son compagnon.

À l'horizon, de gros nuages gris se forment, laissant présager une averse dans la soirée. Peut-être même un orage. Heureusement, l'air est chaud et tout ce qu'ils risquent, c'est d'être trempés par la pluie, mais malgré tout, ils n'y voient pas d'inconvénients car leurs costumes de plongée les protégeront.

— Tu crois qu'ils nous donneront la permission de camper sur l'île ?

Conrad hoche la tête affirmativement. En vérité, il n'en sait rien. Il serait peut-être préférable de trouver un endroit isolé pour accoster sans que personne ne s'en rende compte.

Le yacht file à toute allure, coupant les vagues qui deviennent de plus en plus imposantes. L'île est en vue. Conrad doit faire un choix. Si la femme qu'ils ont vue le matin leur refuse l'hospitalité, ils auront du mal par la suite à passer inaperçus pour camper sur cette même île. Avec l'orage qui se prépare, pas question de se chercher à un autre endroit pour passer la nuit.

— On fait quoi ?

Conrad réfléchit encore un long moment. Deborah s'impatiente de son indécision.

— Je t'ai posé une question ! On fait quoi ?

Les eaux du fleuve sont de plus en plus en colère. Il est évident que François et Julie ne reviendront pas avant le lendemain. Alors, ça ne sert à rien que le yacht reste visible.

— Il faut un endroit pour cacher le yacht. Je ne veux pas prendre le risque de nous faire interdire l'accès à l'île. On y va incognito.

Deborah secoue la tête en signe de désaccord. Après tout, ils n'ont rien à cacher, sauf un peu de pot. Quel jeune, de nos jours, ne consomme pas de temps à autre ? Pourtant, la jeune femme se résout à faire selon le désir de son compagnon. Il y a eu, pour aujourd'hui, assez d'émotions sans avoir à se disputer pour une banalité de ce genre.

— Comme tu veux. J'ai vu une petite baie, ce matin, ça fera sûrement l'affaire.

Elle avait raison. En arrivant à la hauteur de l'île, Conrad aperçoit également la petite baie. Il réduit les gaz et l'embarcation ralentit considérablement. Puis il coupe le moteur. Trop de bruit pourrait attirer l'attention. En plus, il y a tellement d'arbres morts à éviter, avant d'atteindre le bord de l'île, qu'il est préférable d'utiliser les rames.

Habilement, Conrad et Deborah se fraient un chemin entre tous ces rejets du fleuve qui se sont échoués en bordure de la plage. Après quelques heurts, le yacht touche enfin terre. Conrad bondit hors de l'embarcation et, à l'aide de l'amarre, il l'attire derrière un immense tronc d'arbre, couché sur l'eau et dont les branches sont bien ancrées dans le sable. Ce bouclier naturel protégera le yacht contre les vagues, si elles augmentent à cause de la tempête.

Deborah rejoint son copain et tous deux s'engagent sous les arbres, en quête de l'endroit propice pour l'érection de la tente.

# Chapitre 13

L'embarcation qui transporte François et Julie arrive en vue de la marina. Ils sont pressés par le temps car, au loin, s'amoncellent d'épais nuages couleur d'orage. Le jeune homme craint de ne pas pouvoir retourner sur le fleuve s'ils racontent leur histoire aux autorités de la place, car ils auront sûrement à répondre à de nombreuses questions qui risquent de durer trop longtemps. Cela va les empêcher de retrouver leurs amis. Mieux vaudrait peut-être de retourner immédiatement auprès de Conrad et Deborah et attendre à demain pour faire leur déclaration. De toute façon, ce n'est pas une journée de plus ou de moins qui changera grand-chose à la condition des victimes.

Le yacht ralentit pour se placer en position d'amarrage. François n'a qu'à remettre les gaz et faire demi-tour. Pourtant, il ressent une certaine réticence à le faire. Bien entendu, il aimerait être aux côtés de ses amis pour affronter la tempête, si tempête il y a, mais jamais il ne pourrait se pardonner à lui-même qu'un autre meurtre soit commis parce qu'il aurait trop attendu pour aider les policiers à démasquer le maniaque. Il n'y a pas d'hésitation qui tienne.

Lentement, le yacht approche du quai et il est aussitôt amarré par Simon Therrien qui, comme à son habitude, traîne dans le coin en quête de nouvelles fraîches. Il a vu ces jeunes quitter la marina très tôt ce matin avec leur équipement de plongée. Il les enviait d'avoir l'audace de faire ce genre de sport et ne s'était pas gêné pour les complimenter au sujet du courage dont ils faisaient preuve.

— Vos amis ne sont pas avec vous ?
— Non.

Ce jeune homme est peu loquace, songe Therrien après un long silence. La jeune femme n'est guère mieux, elle reste muette.

Sans le connaître vraiment, les deux jeunes n'ont pas trop confiance en Therrien. Son allure générale probablement, ainsi que sa façon d'aborder les gens et de s'enquérir de ce qui ne le regarde pas. Se confier à lui serait assurément une grave erreur que François ne veut pas commettre.

Les deux amis sautent sur la passerelle. Il y a sûrement quelqu'un au resto-bar qui leur indiquera où se trouve le poste de police le plus près. C'est ce qu'ils ont de plus urgent à faire pour l'instant.

— Vous retournez sur le fleuve, ou c'est terminé pour aujourd'hui ?
— Pas encore décidés.
— Bon. Je laisse votre yacht là. Mais si vous restez à terre, va falloir le déplacer. Cet endroit est réservé.
— Très bien. Ce sera fait.

François et Julie filent en direction du Marinier sous le regard déçu de Simon. Ce matin, ils ont constaté que les propriétaires de la place étaient des gens bien et très gentils, alors ils pourront, sans l'ombre d'un doute, leur venir en aide. Au moment où ils quittent la passerelle, un homme grand, squelettique et pas très joli, apparaît soudainement devant eux. C'est Julien Nault dont les yeux gris bleu et perçants se fixent pendant un long moment sur la jeune femme. Les traits de son visage restent figés. Julie en a la chair de poule. Elle s'immobilise, paralysée par ce regard inquiétant qui la foudroie, la transperce, la dénude. François échappe un soupir d'exaspération, puis saisit la main de sa compagne pour l'inviter à le suivre.

— Allons. Viens. Ne t'occupe pas de cet idiot.

La jeune femme détourne enfin la tête et emboîte le pas à son copain, sous le regard soutenu de Nault.

À l'intérieur du Marinier, l'atmosphère est plus calme qu'à l'habitude. Il y a tout de même une vingtaine de personnes qui discutent entre elles, attablées ici et là dans la grande salle.

Les jeunes gens se dirigent immédiatement vers le bar. Ginette les regarde venir et décèle aussitôt une certaine gravité dans leurs regards. Elle appréhende une nouvelle tragédie, puisque le couple de noirs qui les accompagnait au départ n'est pas avec eux.

— Je peux vous aider ?

Julie prend place sur l'un des tabourets alors que François s'accoude au comptoir, juste en face de Ginette.

— La police. Où se trouve le poste de police du village ?

— Qu'est-ce qui se passe ? Un accident ?

— Je veux savoir où se trouve le poste de police ! S'il vous plaît. Où est-il ?

Par le ton de sa voix, la tenancière constate que François n'a pas envie du tout de discuter et qu'il est préférable de le renseigner sans poser de questions.

— Il est sur la rue Langevin. En sortant d'ici, tournez à droite et c'est la troisième rue à votre gauche.

— Merci beaucoup, Madame.

— Si je peux me permettre. Il y a un policier ici ce soir. Il n'est pas en fonction, mais il pourrait assurément vous aider.

François lance un regard rempli de reproches à l'intention de Ginette qui, même si ce n'est pas dans sa nature d'être mal à l'aise avec qui que ce soit, se sent légèrement embarrassée.

— Sylvain Letendre. Il est là bas.

Julie pose la main sur l'avant-bras du jeune

homme, l'incitant à faire preuve de plus de courtoisie. Après tout, personne ne peut savoir à quel point leur démarche est d'une importance capitale. François baisse la tête, conscient d'avoir été désagréable envers une personne qui n'a rien à voir avec le malaise dans lequel il est plongé depuis leur macabre découverte.

— Excusez-moi. Merci beaucoup pour le renseignement.

Les deux amis quittent le bar et se dirigent vers l'homme que Ginette leur a indiqué. Il est seul à une table, en train d'avaler goulûment son repas.

— Monsieur Letendre ?
— Oui, c'est moi.
— Vous êtes policier ?

Letendre se bombe aussitôt le torse. Quel plaisir pour lui de représenter l'autorité ! Un titre qui ne cessera jamais de flatter son égo.

— Exactement. Vous avez un problème ?

Sans attendre d'y être invités, Julie et François

s'installent à la table de Letendre, un peu surpris par leur impolitesse.

— Nous avons quelque chose d'important et de grave à vous révéler.
— Vraiment. Une histoire de drogue, j'imagine !

François bondit sur ses jambes, offusqué par la remarque désobligeante du policier. Cet homme a des préjugés envers les jeunes, alors ça ne sert à rien de continuer avec lui.

— Je crois que nous ferions mieux d'aller parler de tout ça avec votre supérieur.

Sylvain Letendre se rend compte de sa bévue et fait une légère grimace tout en s'excusant.

— Non. Racontez-moi. Qu'avez-vous de si urgent à déclarer ?

Encore une fois, Julie intervient en touchant le bras de François pour l'inciter à plus de patience. Il a les nerfs à fleur de peau, ce qui augmente beaucoup son intolérance.

— Allons, jeune homme. Dis-moi ce qui se passe. Tu m'as l'air bouleversé.

Lentement, François se rassit en manifestant néanmoins une certaine hésitation et, pendant quelques secondes, il reste muet, se contentant de dévisager Letendre, dont l'inconfort se fait de plus en plus évident. Après avoir esquissé un léger sourire de satisfaction, il se décide enfin à en venir au fait même de leur démarche.

— Nous avons trouvé un cadavre... c'est-à-dire, des cadavres. Enfin, c'est ce que nous croyons.

La voix de François est à peine audible. Letendre n'est pas certain d'avoir bien entendu et il hésite à le faire répéter pour ne pas le vexer davantage. Néanmoins, il se doit de comprendre exactement de quoi il s'agit.

— Tu as bien dit, un cadavre ?

François hoche la tête pour confirmer, puis il s'éclaircit la voix afin de reprendre ses explications de façon plus compréhensible. Au moment où il s'apprête à entreprendre son récit, il aperçoit un homme assis à la table d'à côté qui s'avance légèrement pour entendre, lui aussi, ce qu'il a à dire. C'est Réal Crevier. François se rapproche de Letendre. Lui seul doit être mis au courant. Si la nouvelle se répand dans le village, ce sera la panique. François ne veut pas en être le déclencheur.

— Où avez-vous trouvé ce cadavre ?

Désireux d'en finir le plus rapidement possible, François s'exécute enfin et raconte au policier tout ce qui s'est passé depuis le début de la journée, en commençant par leur départ de la marina, jusqu'au moment où ils sont entrés au Marinier pour chercher de l'aide. Il n'omet aucun détail, sachant bien qu'en lc faisant, il provoquerait encore des questions de la part du policier, ce qu'il tient à éviter à tout prix. À de nombreuses reprises, Letendre a sourcillé en entendant certaines déclarations. D'ailleurs, le nom de Barbara, inscrit à l'arrière de la montre, l'a complètement atterré. Le dossier concernant la disparition de cette femme et de sa fille fait l'objet d'une enquête de la S.Q.

Comme pour appuyer ses propos, François dépose

la montre devant Letendre. Au premier coup d'œil, il distingue le nom de l'infortunée.

Le jeune homme déplie la carte de navigation et la place en face de Letendre. Un cercle rouge entoure une île. L'île du Passant.

Le policier l'examine pendant un long moment et réalise tout à coup à qui appartient cette île.

— Mais, c'est l'île de...

Letendre fait volte-face rapidement. Réal Crevier n'est plus là. Trop concentré à écouter François, il n'a pas vu Crevier se lever en vitesse et quitter la place. Il a sûrement entendu leur conversation.

— L'homme qui était là est le propriétaire de cette île.

Julie se sent blanchir. Et si c'était le meurtrier !

Il avait l'air tellement bizarre lorsqu'il s'est levé de table.

— Il est parti aussitôt qu'il a vu la carte.
— Restez ici. Et pas un mot de tout ça à personne. Je m'en occupe personnellement.

Letendre bondit sur ses jambes et file vers la sortie

sous les regards consternés des deux jeunes gens. Sur la passerelle, il aperçoit Crevier en train d'enlever les amarres de son yacht. Pas question de le laisser lui glisser entre les doigts. Son chef sera sûrement fier de lui s'il réussit à neutraliser le maniaque qui sévit sur le fleuve depuis si longtemps. Il aura peut-être une promotion.

— Crevier ! Attends !

De toute évidence, il n'a pas l'intention d'attendre qui que ce soit. Par réflexe, Sylvain Letendre porte sa main droite à sa hanche. Pas d'arme. Savoie interdit formellement à ses agents de porter leur arme lorsqu'ils ne sont pas en fonction.

— Ne bouge plus Crevier ! Tu es aux arrêts.

Pourtant, il n'a aucune preuve tangible pour se permettre de procéder à l'arrestation, et ça, Letendre le sait très bien, mais il veut l'intimider pour le forcer à discuter.

— Fous-moi la paix. Tu n'as aucune charge contre moi.
— Je veux te parler, c'est tout.

Réal Crevier ignore totalement le policier et saute dans son embarcation qu'il fait démarrer aussitôt. Téméraire, Letendre, qui arrive à la course, saute à son tour et roule au fond du yacht.

— De quel droit oses-tu monter sur mon bateau ?
— J'ai des questions à te poser. Coupe immédiatement le moteur !
— Jamais !

Le ton monte encore d'un cran. Crevier est envahi par la colère. Letendre est déterminé à l'empêcher de s'enfuir. Si seulement il avait son arme !

Sur le bout du quai, il voit Julien Nault qui les surveille, imperturbable. Personne d'autre n'est en vue. Il est persuadé que c'est peine perdue de compter sur ce débile pour l'aider, mais il doit tenter sa chance.

— Julien ! Va avertir le chef Savoie.

Crevier pointe un doigt en direction de Nault. Les traits de son visage, durcis par la rage, font frissonner le pauvre homme qui se laisse choir à genoux sur le quai. Crevier s'en réjouit. Il connaît Julien Nault depuis longtemps et sait très bien quel pouvoir d'intimidation il a sur lui.

L'embarcation file vers le large, la coque percutée par les vagues grandissantes.

— Je t'ordonne de retourner à terre !

Ils sont maintenant assez loin du rivage pour n'être vus de qui que ce soit. Crevier coupe le moteur et se tourne en direction de Letendre.

— Je dois me rendre sur mon île !
— Pour faire disparaître des preuves ? Des preuves qui pourraient permettre de t'inculper !
— Non ! Je n'ai rien à me reprocher.
— J'ai découvert ton petit manège, Crevier. Les jeunes ont trouvé le cadavre de l'une de tes dernières clientes. Tu ferais mieux de te rendre avant d'aggraver ton cas.
— Je n'ai rien à voir avec ce meurtre.
— Tu ne t'enfuirais pas, si tu étais blanc comme neige.
— Pas le choix. C'est justement des réactions comme la tienne qui ne me donnent pas le choix.
— Foutaise ! Tu es un meurtrier et tu vas payer pour tes crimes, tôt ou tard !

Crevier est exaspéré par les accusations du policier. Accusations qu'il qualifie de gratuites et sans fondement.

Les invectives deviennent de plus en plus cinglantes car aucun des deux hommes ne veut céder l'avantage à l'autre. Letendre est aveuglé par la notoriété qu'il aurait en mettant le grappin sur le prédateur du fleuve, alors que, de son côté, Crevier est conscient que tout porte à croire qu'il est effectivement ce prédateur sans pour autant avoir de responsabilité dans cette affaire.

L'inévitable arrive au moment où Crevier se retourne pour remettre le moteur du yacht en marche. Letendre bondit comme un félin en pleine chasse et tente d'immobiliser son adversaire par une clé de bras. Crevier n'est pas si simple à maîtriser et Letendre s'en rend très bien compte lorsqu'il reçoit, en plein estomac, le coude de ce dernier. Le souffle coupé, il se plie en deux. La douleur est atroce.

Réal Crevier le regarde un moment se tordre. Pendant une seconde, il éprouve de la compassion pour ce policier, même s'il le trouve un peu trop borné.

— Allons, respire à fond, ça va passer.

Letendre continue de grimacer, feignant une douleur plus grande qu'elle ne l'est en réalité. Au moment où Crevier se penche pour lui venir en aide, il l'empoigne par un bras et le fait pivoter pour le maîtriser. Malheureusement pour lui, Crevier réussit à lui faire lâcher prise et lui donne un violent coup de poing à la mâchoire. Letendre est étourdi. Avant même qu'il ne récupère, un autre coup l'atteint, telle une masse, et il s'effondre.

Sans perdre un seul instant, Crevier retourne son antagoniste sur le ventre et, à l'aide d'un cordage, lui attache les mains derrière le dos. Impuissant, Letendre sent ses jambes être ficelées à leur tour.

— C'est toi qui l'as voulu, Letendre !

Haletant, le policier croise le regard du fugitif et la haine qu'il peut y lire lui donne froid dans le dos. Il aurait mieux valu de ne pas s'attaquer seul à cet homme.

— Je vais peut-être finir dans une boîte de tôle au fond du fleuve, mais cette fois tu es cuit, Crevier. Julien et les deux jeunes savent que je suis avec toi.

Réal en a assez entendu. Il ouvre le compartiment des premiers soins, situé à l'intérieur de la cabine, et se saisit d'un long morceau de tissu servant d'écharpe qui, en cas d'accident, peut stabiliser un membre brisé. Malgré les objections fulminantes du policier envahi par la frustration, il le bâillonne solidement en y mettant plus d'ardeur qu'il n'est nécessaire, démontrant ainsi à quel point l'attitude du policier l'a mis hors de lui.

— Comme ça, je n'entendrai plus ta grande gueule.

Crevier retourne à l'avant du yacht et remet le moteur en marche. Déjà la nuit commence à s'installer. Au loin, des éclairs zèbrent le ciel. Le temps presse car, d'ici une heure au maximum, l'orage atteindra la région et mieux vaut ne pas se trouver sur le fleuve en pleine tempête.

# Chapitre 14

La porte laisse entendre un léger grincement en s'ouvrant. Claudia a le cœur qui bat à tout rompre, mais l'excitation lui procure une sensation agréable. L'interdit procure toujours plus de plaisir.

Avec le ciel qui commence à se couvrir à l'extérieur, la luminosité à l'intérieur de la maison s'en trouve diminuée considérablement. L'aspect macabre de la pièce fait frissonner davantage la jeune femme.

Instinctivement, elle jette un regard près de l'embrasure de la porte. Un commutateur. Il y a donc de l'électricité dans cette maison! Bien sûr! Elle se souvient d'avoir vu, posée sur un bureau, une petite lampe dans l'autre pièce. Sans perdre de temps, elle actionne le commutateur. Rien.

— Une génératrice. Il y en a sûrement une quelque part.

Attentivement, elle examine plus en détail le mur près d'elle. Un bouton apparaît avec l'inscription «Gen» au-dessus. Elle soupire de soulagement. Une fois éclairée, la maison paraîtra moins lugubre.

Avec hésitation, elle appuie sur le bouton. Il ne se produit rien au début, mais au bout de quelques secondes, la seule ampoule, accrochée au plafond de la cuisine, tente péniblement d'éclairer la pièce et y parvient finalement.

Pas de surprise pour Claudia, sauf un réfrigérateur dans un coin qui ne doit être utilisé que lorsque la maison est occupée pour une longue période. Lentement elle s'avance vers le comptoir, les yeux rivés sur le bloc de bois dans lequel six couteaux de différentes longueurs sont enfoncés. Une sueur froide l'envahit en songeant à l'utilisation que peut en avoir fait Réal Crevier. Son regard reste un long moment accroché à ces couteaux, puis s'en détourne avec dégoût.

Claudia fait un demi-tour sur elle-même pour se trouver face à une ouverture menant assurément dans l'autre pièce, possiblement un genre de salon.

Elle reconnaît le bureau, la lampe et la table

étrange. Quelle idée de placer une telle table dans un salon! Par contre, rien n'indique qu'il s'agisse bien d'un salon. Pas de divan, ni de tableaux, ni de décoration. Une pièce presque vide dont les murs auraient sans aucun doute besoin d'un sérieux rafraîchissement.

La jeune femme se rend près du bureau. D'un mouvement lent et fébrile, elle allume la petite lampe. Le faisceau lumineux, faible et jaunâtre, apparaît aussitôt et c'est à peine s'il parvient à éclairer la table dont la surface en bois semble être tachée à de nombreux endroits. Claudia ressent de plus en plus de sueurs froides en spéculant sur ce que peut être la nature de ces taches. Il y en a également sur le plancher. Elle est horrifiée en constatant que cela ressemble à du sang séché. L'idée de quitter cette maison le plus vite possible lui passe par l'esprit. S'il fallait que Crevier arrive ici avant Carl et la trouve en train de fouiner de la sorte dans son antre, jamais elle ne repartirait vivante de cette île. La perspective d'être la proie d'un psychopathe ne l'enchante guère, mais l'ardent désir de rassembler le plus d'éléments possible pour meubler son prochain roman l'emporte sur sa crainte.

Elle se retourne lentement. De l'autre côté de la porte d'arche, c'est la pénombre. Pas de lampe pour éclairer la pièce. Du regard elle tente de retrouver l'anneau vissé au plancher qu'elle a aperçu un peu plus tôt à travers la fenêtre.

Claudia fait quelques pas en direction de l'endroit où devrait être cet anneau, mais s'arrête brusquement. Également vissé au plancher, elle découvre un second anneau, à environ deux mètres du premier. Après un examen plus minutieux, elle constate qu'il n'y a aucune trappe menant à une éventuelle cave, comme elle l'avait supposé plus tôt. La réalité la frappe de plein fouet. Ces anneaux servent à attacher les prisonnières du monstre. La peur s'empare de Claudia avec une hallucinante rapidité. Cela ne vaut pas le coup de continuer à mettre sa vie en péril. Sur le point de rebrousser chemin pour quitter cet endroit maudit, Claudia baisse la tête, songeuse. Qu'a-t-elle à perdre dans le fond? Elle est non productive depuis des mois. Cette histoire scabreuse pourrait peut-être lui apporter la gloire. Cette seule pensée a pour effet de calmer ses craintes.

Renoncer à chercher toutes les preuves nécessaires pour permettre l'inculpation de Réal Crevier serait de la pure folie. Cet homme ne doit pas continuer à jouir de sa liberté et à assassiner des innocentes.

Imprégnée du désir de mettre fin aux agissements

de Crevier, Claudia reprend son inspection des lieux avec plus de détermination. Longeant les murs dans l'espoir d'y trouver un commutateur qui permettrait d'éclairer la pièce, elle décèle une fissure étrange. En fait, cette dernière est beaucoup trop droite pour être le fruit du vieillissement de l'habitation. Du bout des doigts, la jeune femme longe cette ligne verticale qui descend jusqu'au plancher. Une porte. Ou plutôt un panneau, puisqu'il n'y a ni encadrement, ni poignée. En glissant ses ongles dans la fente, Claudia tente de tirer le panneau. Rien ne bouge. Tout ce qu'elle réussit, c'est de se briser un ongle.

— Mais ouvre-toi donc !

Même en déployant toute la force dont elle dispose, le panneau résiste à sa seconde tentative. Néanmoins, Claudia ne s'avoue pas vaincue pour autant et, à grandes enjambées, elle se rend à la cuisine puis, avec hésitation, elle se saisit de l'un des couteaux enchâssés dans le bloc de bois. Elle frémit à la sensation de froideur que lui procure le manche de l'arme.

— Ce n'est pas le moment de flancher, ma belle.

Avec empressement elle retourne au panneau et insère la pointe du couteau dans la fente. Le résultat est désolant. Rien ne bouge. Claudia y met toutes ses forces, au risque de briser la lame, mais sans succès. La colère monte en elle. Il doit sûrement y avoir un moyen !

Au bout de plusieurs minutes de tentatives infructueuses, la jeune femme laisse tomber le couteau par terre puis, exaspérée, elle frappe du poing le panneau avec hargne. Un déclic se fait entendre. Le panneau s'entrouvre. C'est bien une porte. Claudia retient un cri de joie.

De l'autre côté, la pièce secrète est noire. Impossible d'y voir quoi que ce soit. D'une main fébrile, elle cherche un commutateur. Il doit assurément y en avoir un.

Ça y est ! Claudia réussit finalement à l'atteindre. Sans hésiter, pressée de mettre fin au mystère qui plane sur elle depuis la découverte de cette ouverture, elle l'actionne.

Instantanément, une lumière rougeâtre inonde la pièce. Claudia est paralysée d'un seul coup. La vision cauchemardesque qui se présente à elle est à tel point horrible que la jeune femme se sent faiblir. Ses jambes sont trop molles pour pouvoir faire le moindre pas.

Un peu partout sur les murs, des dessous féminins sont accrochés. Il n'y a pas moins de vingt petites culottes sur lesquelles des photos sont épinglées. Des photos de femmes mutilées. Certaines semblent mortes, mais d'autres ont sur le visage une expression d'intense douleur, d'effroi. Le monstre ne se contente pas tout simplement de les tuer, il les viole, les martyrise, les charcute et porte l'odieux jusqu'à les photographier pour en garder le souvenir. Regarder ces photos doit l'exciter et même l'inciter à recommencer son petit manège.

Tout tourne autour de Claudia. Des millions de points noirs viennent troubler sa vision. Ses forces l'abandonnent. Elle tombe à genoux en pleurant de rage. Une grande détresse s'empare de son esprit. Même les yeux fermés, elle ne cesse de voir tous ces visages de femmes, tordus par la douleur. Dans sa tête retentissent les cris affreux que ces victimes doivent avoir poussés avant de mourir.

Tout devient noir. Elle se sent basculer dans le vide, comme poussée dans un gouffre profond dont les parois sont incrustées de figures grimaçantes. D'effroyables hurlements résonnent en écho, lui emplissant la tête. Des plaintes et des supplications se répercutent sur les murs pour venir lui transpercer les tympans.

La descente est vertigineuse. Puis, tout à coup, elle s'abat sur des rochers, le corps brisé, les membres désarticulés. Tout s'éteint brusquement. Claudia sombre dans l'inconscience.

Quelques heures s'écoulent avant que la jeune femme ne refasse surface. Elle a erré si longtemps dans le monde des cauchemars que sa peau tout entière est recouverte de sueur. Pourtant, le monde réel n'a rien à envier à celui du rêve. Il est tout aussi horrible.

Claudia balaie du regard les murs qui l'entourent. Avec une certaine froideur, elle examine plus en détail quelques-unes des victimes. Une femme étendue sur le dos, nue, dont les entrailles ont été extirpées de son corps et pendent à ses côtés. Ses yeux apeurés fixent Claudia et sa bouche grande ouverte semble lui crier à l'aide. Plus loin, une jeune femme, encore une ado, a les poignets attachés à un anneau de métal. Entre ses seins, dont les mamelons ont été arrachés, le manche d'un couteau se dresse fièrement, tel un sceptre victorieux.

Claudia frémit en reconnaissant l'anneau. Il s'agit, sans l'ombre d'un doute, de celui fixé au plancher de la pièce d'à côté. Ces tortures se sont donc bien déroulées dans cette maison. Sur plusieurs photos, la petite table bizarre apparaît également.

L'écrivaine secoue la tête et détourne les yeux de ces scènes démoniaques. Pas question de s'évanouir de nouveau. Elle en a assez vu. La seule chose à faire, pour l'instant, c'est de quitter cette maison, reprendre sa valise laissée sous le saule et aller se réfugier quelque part pour ne pas être vue. Carl doit sûrement revenir bientôt. Il saura quoi faire avec tout ceci. Ensemble ils se rendront sur-le-champ au poste de police pour les informer de leur découverte.

Claudia fait mine de se retourner vers la porte, mais son regard reste accroché à un petit bureau, gisant dans un coin. Un bureau qu'elle n'avait pas remarqué auparavant, trop estomaquée par la décoration des murs de la pièce. Elle hésite un moment. Ce ne sont pas deux ou trois minutes de plus qui changeront quelque chose à la situation. C'est un meuble en bois, à moitié déverni par le temps, mais qui paraît néanmoins exempt de poussière. Une autre preuve que le maniaque vient régulièrement dans son refuge.

Défiant la logique, Claudia ouvre le tiroir du bas. Vide. Le second contient une panoplie de soutiensgorge de couleurs et grandeurs variées. Plusieurs maillots de bain sont entreposés dans le troisième. La jeune femme frissonne en songeant au sort des propriétaires de ces vêtements.

Dans le tiroir du haut, qui couvre toute la longueur du meuble, une multitude de bijoux, de porte-feuilles, de lunettes et autres articles divers, y sont entremêlés.

Claudia glisse une main à l'intérieur pour fouiller ce bric-à-brac. Au fond, elle aperçoit une grande enveloppe grise de format légal. Rapidement, elle pousse tous les objets du même côté du tiroir pour la dégager et retire l'enveloppe.

Il n'y a ni nom, ni adresse.

Curieuse, Claudia jette un regard derrière elle pour s'assurer que personne ne la voit puis. avec facilité, elle extrait les papiers que contient l'enveloppe. C'est un acte notarié. Plus exactement, un acte de propriété.

Claudia parcourt rapidement le document. Il s'agit de l'achat d'une île en 1994. L'Île aux Épaves. Que fait-il ici ?

À cause de la lumière rougeâtre, la jeune femme a de la difficulté à lire tous les caractères et sa vue s'embrouille régulièrement. Exaspérée, elle quitte la pièce, le document à la main, et file vers la petite lampe de la pièce voisine. Une fois installée sous l'abat-jour, elle s'empresse de se rendre à la dernière page de l'acte, là où se trouvent les signatures du contrat.

— Seigneur ! Non ! Non !

Sans même s'en rendre compte, Claudia laisse échapper le document sur le plancher. Elle est complètement atterrée.

— Ce n'est pas possible ! Je dois rêver !

Frénétiquement, elle secoue la tête dans tous les sens comme pour revenir à la réalité. Elle se doit d'être courageuse et ne pas se laisser aller à l'effroi.

Pour se persuader qu'elle n'a pas halluciné, elle ramasse les papiers et vérifie encore une fois la dernière page. La signature du propriétaire est indéchiffrable, mais en dessous, le nom du signataire y est en toutes lettres et parfaitement lisible. Carl Lévesque.

Brusquement, quelques périodes de la journée surgissent dans sa tête. En particulier, le moment où, dans l'abri flottant, Carl s'est approché d'elle pour l'embrasser. Ses yeux avaient perdu leur éclat instantanément. Il y a aussi le fait que Carl l'ait suivi à travers l'île pour l'épier. Et cette panne de moteur qui, soi-disant, a été réparée temporairement.

— C'est donc lui. C'est lui, l'assassin !

Il n'y a plus de temps à perdre. Elle s'est jetée tête baissée dans le piège de Lévesque, il lui faut en sortir au plus vite. Crevier est peut-être même son complice. À bien y penser, c'est cet homme qui lui a recommandé Carl Lévesque.

Claudia dirige son regard vers la fenêtre. Il fait presque noir à l'extérieur. Elle est restée inconsciente plus longtemps qu'elle ne l'avait pensé. Comment peut-elle quitter cette île maudite sans bateau? De plus, elle ne sait pas nager ou, du moins, pas assez pour s'aventurer sur une aussi grande distance. Une chose est certaine, elle ne peut rester là à ne rien faire et attendre que le maniaque revienne.

Sa valise!

Son téléphone cellulaire y est enfermé. Après une très longue hésitation, elle s'était résolue à l'apporter avec elle en vacances, prenant néanmoins soin de le mettre hors service en y retirant la batterie.

Au pas de course, Claudia se rend à la porte d'entrée. Par prudence elle inspecte du regard le perron qui s'avère être désert.

Aussitôt déverrouillée, elle ouvre la porte et se lance à l'extérieur. Il fait si sombre. Au loin, le tonnerre s'est mis à gronder et le ciel s'illumine sporadiquement au gré des éclairs.

Sans s'occuper davantage des conditions météorologiques, la jeune femme fonce vers le saule pleureur. La valise y est toujours. Claudia s'en empare sans préambule et rebrousse chemin. Un regard vers le quai. Rien ne bouge. Sur le fleuve, pas une lumière, mis à part celles escortant la route en bordure de la côte à plus d'un kilomètre.

Rassurée, Claudia entre dans le refuge de Lévesque et verrouille précautionneusement la porte, puis dépose sa valise sur la table de cuisine et l'ouvre immédiatement. Ses vêtements, qu'elle avait pourtant bien rangés, sont en désordre.

Après quelques minutes de fouille assidue, Claudia doit se rendre à l'évidence que son cellulaire a disparu. Elle est pourtant certaine de l'avoir mis dans sa valise juste avant son départ. Quelqu'un l'a volé. Et ce quelqu'un ne peut être personne d'autre que Carl Lévesque. Il a eu tout le loisir de fouiller la valise alors que celle-ci est demeurée sur le bateau pendant que Claudia visitait l'île. Il a tout préparé à l'avance. Il suit un plan établi.

La prochaine étape est sûrement pour bientôt.

Claudia est désemparée. Son seul moyen de communiquer avec l'extérieur lui a été subtilisé.

— C'est ça que tu cherches ?

Claudia se retourne vivement, la stupeur bien ancrée sur son visage. Le ton glacial de l'intrus la pétrifie sur place. En l'espace d'une seconde, elle assiste à son futur morbide. Solidement attachée à la table des tortures, elle se voit écorchée vive par ce monstre.

Lévesque a un sourire démoniaque qu'accompagne un regard tout aussi dément.

L'effet recherché a été atteint et il s'en réjouit.

— Je savais bien que tu serais tentée de t'en servir. Pas question d'appeler à l'aide, ma jolie.

La jeune femme roule des yeux effrayés, au grand plaisir de Carl. C'est le genre de maniaque qui se nourrit de la peur et de la douleur.

— Qu'est-ce qui t'arrive, Claudia ? Tu es devenue muette ?

Aucun son ne parvient à quitter les lèvres tremblotantes de Claudia. Des larmes froides coulent sur ses joues frigorifiées. Une intense douleur lui traverse le ventre, telle une épée se frayant un passage dans ses entrailles. Sa respiration se fait plus rapide et plus profonde. Son cœur atteint une vitesse folle, faisant vibrer ses tempes comme un tambour qui résonne sous les coups répétés de baguettes de bois.

Tout à coup, une immense colère, mêlée de haine, s'introduit à travers son anxiété, sa peur et son sentiment d'abandon. Une détermination soudaine de résister brille maintenant dans ses yeux. Son sort n'en est pas moins précaire, mais tant qu'à mourir, aussi bien le faire en combattant.

Sans que Carl puisse rien prévenir, Claudia bondit en direction du salon, qu'elle traverse comme un éclair. Près d'un des anneaux de métal, le couteau utilisé pour tenter d'ouvrir le panneau de bois gît sur le plancher. Claudia s'en empare et le brandit au-dessus de sa tête tout en faisant volte-face, prête à frapper le monstre.

La rage contenue dans ses yeux s'estompe d'un seul coup en se rendant compte qu'elle est seule.

Pourquoi Lévesque ne l'a-t-il pas suivie pour l'empêcher de se saisir de l'arme ? Bien sûr, il n'est pas du genre à se laisser gagner par la facilité et il préfère prendre le temps de s'amuser avec ses victimes avant de porter le coup fatal.

Lentement Claudia avance de quelques pas, décidée à se servir du couteau au moindre mouvement du prédateur. Il n'est pas là.

Au moment où elle pose le pied dans la cuisine, elle aperçoit, en une fraction de seconde, Carl Lévesque qui appuie sur le bouton activant la génératrice. La lumière faiblit, puis s'éteint. Un rire démoniaque s'élève dans la pièce, puis un claquement sec. Un claquement que Claudia reconnaît. La porte.

Plongée dans l'obscurité, entrecoupée par les éclairs de l'orage qui approche de plus en plus, elle reste sans bouger, retenant même sa respiration. Lévesque peut l'attaquer à tout moment. Son désir de ne pas finir comme les autres victimes décuple ses forces et son courage.

— Approche, salaud! Approche que je te découpe à ton tour!

Sa position est avantageuse. Le moindre éclair qui pénètre par la fenêtre, lui permet de voir la pièce presque en entier. Malheureusement, Lévesque est toujours invisible, probablement tapi dans un coin, prêt à bondir sur elle si jamais elle devient trop téméraire. Claudia a l'impression de jouer au chat et à la souris et celui des deux qui fera le premier geste, perdra l'avantage du jeu. Claudia n'a pas l'intention de commettre cette erreur.

Elle est consciente qu'au corps à corps, Lévesque n'en ferait qu'une bouchée, mais elle est tout de même déterminée à défendre chèrement sa peau.

Le temps n'a plus d'importance. Elle compte attendre ainsi, le couteau prêt à s'abattre sur quiconque s'approchera d'elle, aussi longtemps qu'il le faudra.

Sur les vitres, les premières gouttes de pluie viennent s'écraser bruyamment. Claudia grimace. Si l'orage éclate pour de bon, elle ne pourra plus se fier à son ouïe pour déceler la présence plus ou moins éloignée de Lévesque.

# Chapitre 15

Le yacht de Crevier fend les vagues tant bien que mal. Il doit réduire la vitesse sinon l'une d'elles risque de faire chavirer l'embarcation. Même s'il est un navigateur aguerri, Crevier craint le fleuve quand il se déchaîne de la sorte. Heureusement, il y a des accalmies lorsqu'il se trouve à la hauteur d'une île qui, agissant un peu comme brise-lames, le protège contre la fureur des vagues.

Toujours ficelé au fond du yacht, Sylvain Letendre ne cesse de grogner, tellement il est possédé par la colère. Être réduit ainsi à l'impuissance, pour un policier, est vraiment une atteinte grave à son orgueil.

— Cesse de te débattre comme ça, Letendre. Tu vas finir par te blesser.

L'autre redouble d'ardeur et se tortille de plus belle. Son désir le plus cher serait de pouvoir sauter au cou de Crevier et de lui donner une raclée dont il se rappellerait pour le reste de ses jours. Ses liens sont trop serrés pour espérer s'en défaire. Il doit y renoncer. Lentement il se calme. Réal Crevier s'en réjouit.

— Enfin ! Tu deviens raisonnable. Je te comprends d'être en furie, mais c'est de ta faute si j'ai dû t'attacher et surtout te bâillonner. Au lieu de m'accuser à tort, tu aurais pu au moins écouter ce que j'avais à dire avant de me sauter dessus. Maintenant que tu es plus disposé à entendre ma version, je vais te la dire. Tu pourras la croire ou non, je m'en fous. Mais c'est la vérité.

Encore une fois Letendre grogne son mécontentement puis, de ses pieds, il frappe le fond du yacht. Désespérément il bouge la tête en tous sens tout en faisant rouler, dans leurs orbites, des yeux désemparés qui semblent supplier Crevier de le libérer.

— Bon, d'accord. Si tu me promets de ne pas me casser les oreilles, je t'enlève l'écharpe.

Avant de hocher la tête affirmativement, quelques

sons gutturaux de la part du policier traversent l'épais tissu. Satisfait, Crevier lui retire le bâillon.

— Tu n'as pas le droit de me garder prisonnier. Tu vas le payer très cher, Crevier !
— Tu n'avais pas le droit non plus de monter sur mon yacht sans ma permission. Et si tu as l'intention de continuer la conversation sur ce ton, je te remets ça sur la gueule ! OK ?

Letendre regarde avec rage le long bandeau que Réal Crevier lui brandit sous le nez. Pas question d'être à nouveau réduit au silence.

— Ça va !
— Content de voir que tu deviens raisonnable.
— Tu comptes faire quoi, au juste ? Me tuer ?

Crevier éclate de rire. Les craintes de son prisonnier l'amusent beaucoup. Lui qui a toujours été si honnête avec tout le monde et à qui il n'a jamais eu l'intention de faire le moindre mal, voilà qu'on le soupçonne des pires atrocités. Si la situation n'était pas aussi grave, il prendrait le temps de s'amuser davantage avec Letendre.
— N'aie pas peur. Ce n'est pas mon intention. Je ne

suis pas un meurtrier.

— Tu as entendu l'histoire des jeunes ! Ils ont découvert comment tu procédais pour te débarrasser des cadavres. Ça ne te sert plus à rien de nier.

— Tu es vraiment borné, Letendre. Je te répète que je n'ai rien à me reprocher. Je n'ai jamais tué personne de toute ma vie.

— Tous les criminels se disent innocents ! Tu essaieras de faire croire ça au juré quand tu seras jugé.

— Je ne serai pas jugé, crois-moi !

— Qu'est-ce qui te rend aussi sûr de toi ?

Crevier garde le silence un long moment, hésitant à formuler ses soupçons concernant le prédateur. Il ne peut affirmer que Carl Lévesque est ce maniaque, pourtant plusieurs indices le porte à y croire.

— Tu ne dis plus rien, Crevier !

— À quoi bon essayer de te convaincre ? Ton idée est déjà faite à ce sujet.

— Essaie toujours !

— D'ici peu, je te livrerai le vrai coupable. J'espère une chose. C'est qu'il ne soit pas trop tard pour Claudia Bernard. Si j'ai bien deviné, c'est elle que les jeunes ont vue sur l'Île aux Épaves et non sur l'Île du

Passant. Et c'est Carl Lévesque qui l'a conduite là. C'est lui, l'assassin, pas moi !

— Carl Lévesque ! Tu es fou, Crevier ! Tu penses réellement me faire avaler ça ?

— Personne ne sait vraiment à qui appartient cette île, mais dernièrement, je l'ai vu la quitter avec son yacht. Quand il a été hors de vue, je suis allé jeter un coup d'œil dans l'abri flottant. Il y avait quatre de ces boîtes de métal que les jeunes t'ont décrites tout à l'heure.

— Tu divagues, mon pauvre Crevier. Tu l'as vu aussi bien que moi sur la carte. Les cadavres se trouvent près de ton île à toi. Là où tu les as plongés.

— Une astuce de Lévesque pour me faire porter le chapeau ça. En plus ces deux îles sont voisines. Facile de s'y méprendre.


Letendre n'en croit pas ses oreilles. Il a la nette impression que Réal Crevier le prend pour un parfait imbécile. Personne de sensé ne pourrait croire à son histoire. Une fois la vague de colère passée, il s'esclaffe. Tout ça est d'un tel ridicule, qu'il est préférable d'en rire. En plus, s'il démontre trop de hargne envers son geôlier, ce dernier pourrait perdre le contrôle et Dieu sait de quoi il est capable.

— D'ailleurs, Letendre. Tu vas être fixé dans quelques minutes. Nous arrivons à l'Île aux Épaves.

En effet, malgré la noirceur, l'île est en vue, balayée par le puissant projecteur installé sur le nez du yacht. En plus, les éclairs qui zèbrent le ciel à une fréquence assez rapprochée, la rendent plus visible. Crevier croit même déceler une faible lumière s'échappant de la petite habitation. Illusion d'optique probablement, car celle-ci a disparu. Le yacht se place en position d'amarrage. Le projecteur illumine l'intérieur de l'abri flottant qui se révèle être désert.

— Il n'est pas là. J'espère que mademoiselle Bernard y est encore. Je dois la retrouver.
— Tu es un fou, Crevier. Laisse cette femme tranquille !
— Ferme-la !

Réal Crevier secoue la tête par dépit. Il aurait bien voulu convaincre le policier de son innocence et ainsi s'en faire un allié. L'île n'est pas très grande, mais à deux, son inspection en aurait été beaucoup plus rapide. Et la pluie qui se met de la partie.

Rapidement, Crevier saute sur le quai pour amarrer le yacht, puis retourne aussitôt auprès de son prisonnier.

Un formidable éclair chasse les ténèbres pendant quelques secondes. Par-dessus l'épaule de son geôlier, Letendre aperçoit une embarcation, amarrée à un tronc d'arbre échoué un peu plus loin, à droite du quai. Sûrement le yacht de Lévesque.

Heureusement, Crevier ne l'a pas vu. Pourquoi être accosté à cet endroit? Il devait avoir une bonne raison pour faire ça. L'important est de le prévenir de l'arrivée de Crevier. Si ce dernier le surprend, il pourrait l'assassiner sans scrupule. Pas question de le laisser agir avec autant de facilité. Au risque de sa vie, Letendre lance un grand cri, mais celui-ci est aussitôt étouffé par l'écharpe qui se serre avec force autour de sa tête, le bâillonnant solidement à nouveau.

— Tu es un con, Letendre. Tu mériterais que je te donne une bonne correction.

En prononçant ces paroles, Crevier lève une main comme pour frapper le prisonnier. Ce dernier se démène dans ses liens, persuadé que c'en est fait de lui. Son imprudence va lui coûter cher. Ses yeux se noient soudainement. L'expression sur le visage de Crevier est sans équivoque. Il veut en finir une fois pour toutes.

Instantanément, les traits de Réal se métamorpho-
sent et lui offrent un grand sourire.

— Tu as eu peur ! Hein ?

Letendre est déconcerté. Il est à sa merci, alors
pourquoi ne l'achève-t-il pas tout de suite ? La raison
en est pourtant bien simple : pour ce genre de maniaque, c'est un plaisir extrême d'instillerla peur dans
l'esprit de ses victimes. Enfin, c'est ce que l'on apprend à l'académie car, personnellement, il n'a jamais
été en contact avec un psychopathe de ce genre.

— Dommage, Letendre. Tu aurais pu te rendre utile
pour une fois. Mais tu es tellement borné, bête et stupide, que je ne peux pas prendre la chance de te libérer
pour m'aider.

Sur ces mots, Réal Crevier se rend à l'arrière de
l'embarcation et, d'un coffret de rangement, s'empare
d'une torche électrique et d'un pistolet servant à lancer des fusées éclairantes. C'est la seule arme dont il
dispose.

Avant de quitter le yacht, il se saisit d'une corde

et en fixe l'une des extrémités à un taquet métallique utilisé pour l'amarrage. Il attache l'autre bout de la corde autour du torse de Letendre.

— De cette façon, tu ne pourras pas venir me mettre les bâtons dans les roues. Sois sage, Letendre. Je reviens le plus tôt possible avec la preuve que je t'ai promise. En attendant, admire l'orage.

Le policier fulmine sous son bâillon. Le ton sarcastique de Crevier le met hors de lui. La frustration est à son maximum. Si seulement il pouvait se libérer, Crevier passerait un mauvais quart d'heure. Pourtant, il sait qu'il n'arrivera à rien en se mettant dans cet état. La colère l'empêche de réfléchir convenablement à un moyen de s'en sortir.

Impuissant, le policier regarde son bourreau s'éloigner du quai et emprunter le petit sentier. Bientôt, il ne voit plus qu'un faible faisceau lumineux et sautillant qui atteint le plateau sur lequel s'élève l'habitation. En s'apitoyant sur son sort, Letendre éclate en sanglots. C'est la première fois de sa jeune carrière de policier qu'il a à se confronter à un vrai meurtrier. Un prédateur, comme le dit si bien le chef Savoie. Le désir d'obtenir du gallon l'a aveuglé à un point tel que c'est sans faire l'évaluation des conséquences qu'il s'est lancé dans cette aventure périlleuse. Sa situation est critique, alors il est préférable de songer sérieusement à se défaire des liens qui le retiennent avant le retour de Crevier.

Le tonnerre gronde avec rage, la pluie augmente sensiblement d'intensité et les éclairs illuminent le paysage à intervalles plus rapprochés.

Soudain, sans prévenir, une silhouette se dresse devant les yeux de Letendre. C'est un homme. Impossible que Crevier soit déjà de retour.

Un éclair. Un visage. Carl Lévesque.

Les yeux du policier s'agrandissent, remplis à la fois de surprise et de joie. Enfin, il va être délivré.

Pendant de longues secondes, Lévesque reste planté, immobile, se contentant de dévisager le prisonnier. Ce dernier s'impatiente. Un éclair attire l'attention de Letendre. Cette fois il n'est pas dans le ciel, mais dans la main de Lévesque.

Un couteau !

Enjambant le rebord du yacht, le libérateur monte à bord. Naïvement, Letendre se retourne légèrement pour mettre en évidence les liens qui lui entravent les poignets. Ses grognements répétés invitent Lévesque à se dépêcher. Ce dernier se place devant le policier, toujours en le fixant. Lentement, il appuie la pointe de l'arme sur l'abdomen de Letendre et glisse l'autre main derrière sa nuque.

Tout devient clair à présent pour le jeune policier. Réal Crevier avait raison en soupçonnant Lévesque d'être le tueur recherché. Cette fois Letendre comprend qu'il est perdu.

Un sourire diabolique se dessine sur les lèvres de son agresseur puis, dans un mouvement brusque, il lui enfonce le couteau jusqu'à la garde. La douleur est atroce. La peur l'est tout autant. Le visage toujours transformé à l'image d'un esprit maléfique, Lévesque imprime un léger mouvement de rotation à la lame puis, lentement, il la force vers le haut, coupant toutes les chairs et les entrailles se trouvant sur son chemin.

Les cris de Letendre se perdent dans l'étoffe de son bâillon. Il se sent faiblir de plus en plus. L'air est soudainement devenu froid. Ses yeux sont plus paisibles et restent accrochés à ceux de l'assassin. Le vrai, cette fois ! Si seulement il avait cru ce que lui racontait Crevier !

Comme dans un sursaut, Lévesque arrache le couteau du corps de sa victime. Avec une force surhumaine, il soulève cette dernière par les épaules pour la jeter aussitôt par-dessus bord. Toujours attaché, le corps reste tout près de la coque du bateau et s'agite encore durant quelques secondes, mais sans grande vigueur.

Lévesque observe le jeune policier jusqu'à ce que les poumons de celui-ci se soient complètement remplis de liquide. Une immense satisfaction se lit sur son visage. Quel splendide spectacle qu'est l'agonie ! Rien au monde ne peut procurer autant de sensations aussi délicieuses. Ses mains tremblent encore tellement l'excitation a atteint son paroxysme. Les meurtres d'hommes ne lui ont pas toujours donné un effet aussi euphorique. Mais un policier, c'est l'extase.

Pendant quelques minutes, Carl Lévesque demeure sur place, les yeux fermés, à goûter cette victoire sur la vie. Néanmoins, une fois les sensations agréables dissipées, il plonge dans une profonde tristesse. La culpabilité s'installe dans son esprit, comme après chacun de ses meurtres. Il réalise, apeuré, que c'est mal de tuer et qu'un jour il devra en subir les conséquences. Il sera tué à son tour. Il l'espère.

Lévesque ouvre les yeux. La pluie a lavé le sang qui recouvrait ses mains. La lame de son couteau brille à nouveau. Dans sa tête, une voix l'interpelle, lui ordonnant de reprendre courage et de continuer son œuvre. Les traits de son visage se figent, chassant les quelques larmes de détresse qu'il a osé échapper.

Il tourne la tête vers sa maison au bout du sentier. Un faisceau de lumière se balade près du hangar. De toute évidence, c'est Réal Crevier qui cherche Claudia. Il n'a pas le droit de venir s'interposer entre lui et la jeune femme. Cette femme qui a, par un quelconque maléfice, touché son cœur. Claudia lui appartient.

# Chapitre 16

Immobile dans le noir, Claudia aperçoit par la fenêtre une lueur qui s'approche de la maison. Un visiteur. Elle voudrait lui crier, l'avertir du danger qu'il court si jamais il tente d'entrer dans la maison. Cela ne pourrait qu'énerver l'assassin. Pourquoi ce dernier ne l'a-t-il pas encore attaquée? Qu'attend-il?

La jeune femme sent que ses nerfs vont bientôt lâcher. Non! Elle doit résister, être forte. Le silence est son meilleur atout.

— Mademoiselle Bernard!

«Réal Crevier! L'homme qui est possiblement le complice de Carl. Mon Dieu! Je suis coincée. Jamais je n'arriverai à tenir tête à ces deux hommes.»

Heureusement, le faisceau de la lampe de poche ne l'atteint pas. Claudia se voit attribuer un sursis. Des coups sur la porte.

— Mademoiselle Bernard! Vous êtes là? C'est moi, Réal Crevier. Je viens vous chercher.

Claudia retient son souffle. Ses yeux se promènent partout dans la pièce. Les éclairs l'aident à percer l'obscurité mais toutefois Lévesque demeure invisible.

Crevier rebrousse chemin. Il semble se diriger vers le hangar. Si seulement elle pouvait courir assez rapidement pour déjouer Lévesque, elle pourrait se rendre sur le quai et s'emparer de l'un des bateaux pour fuir cette île.

Réflexion faite, elle ne peut courir ce risque. Ils auront tôt fait de la rattraper, car elle ne sait même pas comment faire démarrer le moteur d'une embarcation de ce genre.

Mais pourquoi Lévesque ne donne-t-il aucun signe de vie? Son acolyte est tout près. Il n'a qu'à l'interpeller pour l'avertir de sa présence et c'en serait fait d'elle.

Claudia croit qu'il n'y a qu'une seule raison. C'est qu'il veut s'amuser à la terrifier davantage avant d'en finir avec elle.

— Tu n'es même pas un homme, Lévesque ! Tu as peur de te montrer ? De montrer ton vrai visage ?

Claudia regrette déjà ses paroles qui frôlent le défi. Un fou, tel Carl Lévesque, ne peut se laisser provoquer de la sorte sans réagir. Il ne faut absolument pas qu'elle le mette hors de lui par ses propos. Elle s'en mord les lèvres.

De longues secondes filent. Toujours rien. Lévesque a encaissé sans broncher les paroles blessantes de sa proie.

Combien de temps va encore durer ce petit manège ?

Au-dehors, le faisceau lumineux réapparaît et se replace dans le champ de vision de Claudia. Brusquement, il se met à faire de grands mouvements dans tous les sens, puis s'éteint. La jeune femme ne peut distinguer la silhouette de Crevier, même avec les éclairs. Un frisson la parcourt. La lueur revient. Cette fois, elle se dirige vers la porte. À chaque moment, Claudia s'attend à entendre le martèlement des poings de Crevier sur le battant de la porte. Il n'en est pourtant rien. Une quinzaine de secondes inquiétantes s'écoulent.

Soudain, elle entend un bruit. Un bruit qu'elle reconnaît. Un bruit qui la paralyse totalement. Un bruit qui est le signal de départ d'un éventuel affrontement.

Une clé glisse dans la serrure de la porte. Un déclic !

Le moment de vérité est arrivé. Plus rien ne peut sauver Claudia. La porte s'ouvre toute grande. Le faisceau de la lampe électrique aveugle la jeune femme, horrifiée. La silhouette de Crevier est à peine visible dans ce halo éblouissant, mais elle le reconnaît très bien. Plus de temps à perdre. À ce qu'on dit, la meilleure défensive est souvent l'attaque.

Remplie d'une rage débordante, Claudia s'élance vers l'intrus, son arme prête à s'abattre. En quatre enjambées, elle atteint l'ennemi et, sans attendre, elle le frappe en pleine poitrine. Le sternum ! C'est à peine si la pointe du couteau entame la chair. L'homme sursaute.

Un autre coup d'une extrême violence atteint Crevier juste au-dessus du cœur. Cette fois, la lame fait son travail et s'enfonce profondément. Un troisième pénètre l'assassin presque au même endroit. Claudia est déchaînée, hystérique. Elle pleure et crie sa rage.

Tout à coup, Crevier s'effondre lourdement sur le plancher, le couteau fiché dans la poitrine. Claudia reste pétrifiée. La torche électrique est toujours là, à l'aveugler. La silhouette floue d'un homme se tient toujours dans l'embrasure de la porte.

Un éclair illumine la pièce. C'est Carl Lévesque.

Claudia recule d'un pas.

Le rire de Lévesque résonne dans ses oreilles. La porte se referme derrière le monstre qui, aussitôt, tend la main vers le démarreur de la génératrice qu'il actionne sans plus attendre.

Claudia échappe un long cri d'effroi.

À ses pieds gît Réal Crevier dans une marre de sang. Ses mains sont attachées derrière son dos. Sur sa bouche, un ruban adhésif. C'est pour cette raison qu'il n'a pas réagi à l'agression, aucun mouvement pour éviter la lame meurtrière, aucune plainte.

Claudia recule encore, terrorisée à l'idée d'avoir probablement tué un innocent. Et Carl qu'elle croyait enfermé avec elle dans la maison. Tout ce temps perdu qui aurait pu lui servir pour prendre la fuite. Maintenant, elle est réellement dans de mauvais draps. Il est là, devant elle, le regard victorieux, le sourire machiavélique.

Claudia baisse les yeux et constate qu'il tient un couteau. À la hauteur de la taille, la crosse d'un pistolet étrange apparaît, sortant de son pantalon.

Une foule d'images se déroulent dans la tête de

la captive. Des photos de femmes assassinées. Les photos accrochées sur les murs de la pièce voisine.

Claudia est sur le point de paniquer. Qu'importe les conséquences, elle veut sortir à l'extérieur de la maison, se remplir les poumons d'air frais. Il n'y a plus rien à espérer. Mieux vaut en finir.

Pourtant, avant même de s'élancer pour foncer sur Lévesque, un murmure parvient à ses oreilles. Ses yeux se portent immédiatement sur Réal Crevier. Il a bougé.

Ne la quittant pas du regard, Lévesque se penche sur le mourant et, sans précaution, arrache brutalement le ruban adhésif. Il y a du sang sur les lèvres de Crevier.

— Tiens ! Tiens ! Mon ami Crevier qui ressuscite. Tu ne pensais pas qu'une femme pouvait frapper aussi fort, hein !

Faiblement, Crevier balbutie quelques mots incompréhensibles. Il a du mal à respirer et grimace de douleur.

— Tu dis quoi là, au juste ? Parle plus fort, mon ami !

Les sarcasmes de Lévesque exaspèrent Claudia. Il

n'a donc aucune pitié, cet homme !

— Quoi, Crevier ? Tu me demandais ce qui s'est passé avec ta petite amie de cœur ? Crois-moi, ta Marjo a été super ! Tu aurais dû l'entendre crier de plaisir lorsque je l'ai charcutée en la baisant.

Réal Crevier tente de crier sa colère, mais n'y parvient pas. Les blessures sont trop profondes. Il sait qu'il va mourir. Le rire de Lévesque se répercute sur les murs de la pièce, heureux de l'effet qu'il a provoqué.

— Va en enfer, Lévesque ! La police va arriver d'un moment à l'autre et ils vont te faire payer pour tout ça.

Le maniaque rit de plus en plus fort, se délectant des dernières paroles à peine audibles de Crevier. Puis, dans un geste nonchalant, il se penche vers lui, appuie la lame de son couteau sur sa gorge et la glisse lentement de gauche à droite. Le sang gicle aussitôt. Crevier a un dernier soubresaut et s'immobilise définitivement.

Impuissante devant ce meurtre, Claudia ne réussit qu'à crier son dégoût, sa haine. La scène est trop odieuse. L'air lui manque, sa poitrine est oppressée au point où elle en ressent de la douleur.

Et Carl Lévesque qui ne cesse de rire ! Elle se sent tomber dans un tourbillon, une trombe d'eau qui l'attire vers le fond. Elle se noie ! La lumière disparaît. Plus rien. Que les rires du monstre ! Elle sombre dans l'inconscience.

Lévesque enfile son couteau dans sa ceinture et s'approche du corps inerte de Claudia. Ses yeux se sont attendris, conservant tout de même une pointe de désir.

Pourquoi son esprit n'a-t-il pas cet instinct meurtrier envers cette femme ?

Il n'y comprend rien. Jamais un sentiment d'amour ou même de compassion ne l'a effleuré depuis son enfance. Il est las de cette vie. Las de cette voix qui lui commande trop souvent des actes dégoûtants. Si seulement Crevier pouvait avoir raison et si seulement la police venait mettre un terme à cette vie misérable.

Il secoue la tête comme pour chasser cette mauvaise pensée qui n'est pas digne d'un purificateur.

— Mais pas avant de t'avoir fait l'amour, ma belle Claudia. Je ne laisserai personne nous empêcher de vivre un si beau moment.

Une larme coule sur sa joue. Du bout des doigts, il caresse le visage en sueur de Claudia, puis les enfonce dans ses longs cheveux noirs formant un éventail au-dessus de sa tête.

Carl se voit projeté dans un rêve ensoleillé où lui et Claudia courent, main dans la main, dans un champ couvert de fleurs aux couleurs étincelantes. Ils sont heureux et gambadent tels des amoureux pressés de trouver l'endroit propice à leurs ébats. Ils s'arrêtent au milieu d'une mer ondulante et dorée, puis s'étendent dans les blés, se regardent, se désirent, s'embrassent.

Lévesque s'allonge près de Claudia. Tendrement, il caresse son cou, ses épaules, ses seins, puis lentement approche ses lèvres des siennes et y dépose un baiser. Une douceur qui l'enivre totalement. Tout son corps frémit. La sensation est délicieuse.

Brusquement, Lévesque se sent repoussé violemment. Hébété, il fixe la jeune femme qui a repris conscience.

Apeurée, elle s'appuie le dos au mur, les genoux repliés devant elle. Son regard effaré zigzague dans tous les sens. Tous ses muscles sont crispés. La situation est infernale. S'éveiller ainsi par un baiser du démon alors que dans son subconscient elle brûlait en enfer. Elle doit se ressaisir, revenir à la réalité, reprendre courage.

— Qu'est-ce que tu faisais là ? Tu t'apprêtais à me faire subir le même sort que les autres ?

Carl reste muet de longues secondes. La colère et le dégoût qu'il lit dans les yeux de Claudia l'attristent profondément. Encore une fois, il secoue la tête pour chasser la voix qui murmure en lui.

— Non ! Je n'avais pas l'intention de te tuer.
— Et je dois croire ça ?

Étonnamment, Carl baisse la tête comme un enfant honteux d'avoir fait une mauvaise action. Claudia décèle des larmes sur ses joues. Ce monstre a-t-il réellement un cœur ? Si oui, celui-ci se serait-il épris d'elle ? Cette hypothèse est inconcevable. Un tueur de la trempe de Carl Lévesque ne peut sûrement pas avoir un tel sentiment.

— Si c'est vrai que tu ne veux pas m'assassiner, je peux alors partir !

Lévesque se redresse instantanément. Il n'a jamais rien dit de la sorte.

— Non !

Les espoirs de Claudia s'effondrent. Elle s'en veut d'avoir été aussi naïve pendant un instant. Elle sait beaucoup trop de choses le concernant pour qu'il lui laisse la vie sauve.

— Pas tout de suite.

Cette fois, la consternation fige les traits de Claudia. Pourtant, l'hésitation de Lévesque laisse présager des conditions. Lesquelles ?

Il est tout à fait clair que jamais elle ne quittera cette île sans avoir auparavant obtempéré à ses demandes, quelles qu'elles soient.

— Je devrai faire quoi pour ça ? J'imagine que ma liberté n'est pas gratuite.

Claudia est estomaquée. Les joues de Carl se sont empourprées subitement. Son regard fuyant est celui d'un adolescent timide qui n'ose demander à une fille pour être sa cavalière à un bal.

Ça y est ! Elle comprend tout.

Les mains que promenait Carl sur son corps à son

réveil. Le baiser ! Il est amoureux d'elle !

Cette révélation la choque au plus haut point. Comment peut-il espérer gagner son cœur après tous ces meurtres qu'il a commis ? Après l'avoir piégée de la sorte !

Claudia ne peut avoir confiance en lui. Lorsqu'il aura obtenu ce qu'il attend d'elle, sa photo ira s'ajouter à sa collection. Le mieux, c'est de s'échapper. Mais elle ne réussira jamais à le faire sans le berner. Il lui en offre cependant la possibilité. Une chance rêvée à ne pas rater.

— Tu n'oses pas me dire ce que tu veux, au juste, Carl ? Est-ce si difficile que ça ?

Le ton de sa voix est doux. Trop, peut-être. Lévesque pourrait avoir des soupçons sur ses intentions.

— Je sais très bien ce que je veux.
— Alors, dis-le.
— Deux choses. La première, je veux que tu me promettes d'écrire mon histoire. D'en faire un best-seller pour que le monde entier connaisse mes exploits.

« Il appelle ça des exploits ! Tous ces meurtres

sordides commis dans la torture. Ces femmes mutilées, charcutées, il croit que ça peut servir d'exemple ! »

— Et la deuxième ?
— Avant tout, je veux que tu fasses bien comprendre à tous que je ne suis pas responsable. Que je n'ai pas le contrôle de mes actes. Promets-moi d'expliquer au monde ce que je viens de te dire.

Pendant que Claudia réfléchit, Lévesque s'empare de deux cassettes audio, dissimulées dans la poche de son pantalon, et les dépose sur la table.

— Je les ai enregistrées cet après-midi. Tu trouveras, là-dessus, tout ce que tu as besoin de savoir me concernant pour écrire ton bouquin. Tu as tous les détails sur mes agissements. J'avais prévu te les remettre seulement une fois la deuxième condition dûment remplie. Ça ne devait pas se passer comme ça. Ce porc de Crevier ne devait pas venir se mettre en travers de mon chemin. C'est sa faute si tout a mal tourné !
— Tu peux me dire quelle est cette deuxième condition ?

Un autre moment d'hésitation qui paraît interminable. Claudia connaît la réponse, mais elle désire l'entendre de sa propre bouche.

— Je veux que tu m'appartiennes. Que tu sois à moi. Te posséder pendant quelques heures. C'est tout. Je ne demande rien de plus.
— Et je serai libre ?

Lévesque est surpris par la désinvolture avec laquelle Claudia a posé cette question. Comme s'il ne s'agissait-là que d'une formalité. Il n'a qu'à répondre : « oui » et elle sera à lui. La perspective l'emballe. Toutefois, il n'en laisse rien paraître. Même si Claudia semble coopérative, il ne peut négliger l'aspect que cette dernière pourrait jouer un jeu pour l'amadouer. Une fois fait, elle mettrait les voiles sans tenir ses promesses. La méfiance est la mère de toutes réussites.

— Tu seras libre, bien sûr. Mais tu dois comprendre qu'il me faudra prendre certaines précautions.
— Quel genre ?

À la vitesse dont se déroulent les négociations, Lévesque n'a pas eu le temps de penser à un moyen efficace qui lui permettrait d'assurer la bonne marche de son projet. Il reste songeur un long moment. Intérieurement, sa petite voix lui suggère de l'attacher et de la tuer comme les autres. Toutes les femmes sont méchantes et doivent être punies, comme l'a été sa mère. Dans sa tête il revit le moment où son père l'avait éventrée en criant à tue-tête qu'elle n'était qu'une salope, une traînée, une putain. Il n'avait peut-être que huit ans, mais il se souvient très bien de cette scène qui s'était déroulée sous ses yeux. C'est de cette façon que devaient être traitées toutes les femmes, lui avait dit son père à ce moment-là et c'est ce qu'il lui répète incessamment depuis. Il ne faut jamais avoir confiance en elles.

— T'attacher ! Je vais devoir t'attacher. Oui, c'est ça. T'attacher. C'est le seul moyen pour que je sois certain que tu ne te défileras pas.

Claudia s'apprête à protester avec véhémence. S'il veut l'attacher, il devra le faire par la force. Elle ne peut tout de même pas être traitée comme du bétail, sans réagir.

Pourtant, la jeune femme ne se contente que de montrer, par une grimace, sa réticence à cette idée.

Entamer une dispute avec lui n'arrangerait en rien sa situation. Gagner du temps est la seule chose qu'il lui reste à faire, pour l'instant. L'orage semble diminuer à l'extérieur et, si Réal Crevier a dit vrai, la police viendra la secourir. C'est sûrement le mauvais temps qui retarde l'opération. Claudia s'accroche à cet espoir.

— Tu trouves ça romantique une femme attachée pour faire l'amour? Moi, non! Je veux être libre de mes mouvements pour pouvoir te procurer tout le plaisir auquel tu as droit.

Elle est consciente d'en avoir mis un peu trop. Il n'est pas stupide au point de gober ça. Mais on ne sait jamais, avec un esprit dérangé comme le sien, tout est possible.

Lévesque fait quelques pas en direction de Claudia et l'invite à se lever. Elle hésite. C'est beaucoup trop tôt.

Les yeux de l'homme sont devenus vitreux, ses traits n'ont aucune expression. Claudia ressent une vague de froid lui envahir l'échine. D'un seul coup, ses dernières paroles ont transfiguré le maniaque. De toute évidence, il a compris qu'elle tentait de le duper. Mystérieusement, il lève les yeux vers le plafond tout en dodelinant la tête de gauche à droite pour désapprouver une décision prise par un quelconque personnage invisible, comme s'il refusait d'obéir à l'ordre qu'on lui donnait. Tout à coup, le mouvement de négation que sa tête effectuait au début, se changea en affirmation. Lentement, son regard rempli de folie vient se reposer sur Claudia et c'est d'une voix forte et puissante qu'il lance cette simple phrase dans laquelle la jeune femme décèle sa sentence.

— Il ne faut surtout pas me prendre pour un imbécile !

Le couteau qu'il portait à sa ceinture apparaît brusquement dans sa main. Le dos toujours appuyé au mur, Claudia se lève très lentement. La pointe de l'arme se colle à sa gorge. La frayeur l'empêche d'avaler. Elle tremble de tous ses membres.

Elle a joué et elle a perdu. Maintenant, elle doit en payer le prix.

# Chapitre 17

Sous le couvert des arbres, la petite tente de Conrad et de Deborah résiste tant bien que mal au vent malicieux qui traverse avec facilité la végétation et vient souffler férocement sur les parois de toile trop fragiles pour ce genre de bourrasques. Le bruit de la pluie, tambourinant sans arrêt sur le frêle abri, se répercute dans les tympans des deux jeunes gens, horrifiés au point de songer à quitter l'île sur-le-champ. La prudence leur commande néanmoins de n'en rien faire. Il serait périlleux de s'aventurer sur le fleuve, dans leur yacht, avec ces vagues d'un mètre. Le naufrage serait inévitable.

— La tente va être emportée par le vent, si l'orage ne s'arrête pas.

— Il y a sûrement un meilleur endroit sur l'île pour être en sécurité.

Oui, il y a un endroit plus sûr, en effet. La maison. Si les occupants acceptent de les héberger, bien entendu. Conrad n'est pas persuadé d'un bon accueil de leur part puisqu'ils n'ont même pas demandé la permission pour camper sur l'île.

Tout à coup, devant les yeux de Deborah, une branche transperce la toile et vient se ficher dans le sol. Elle est pétrifiée à la pensée que, quelques centimètres plus près, elle aurait reçu la branche en plein sur la tête.

— Partons d'ici !

De toute façon, ils n'ont plus le choix. Le vent a tôt fait d'élargir la déchirure et, en moins de deux minutes, la tente s'effondre en battant dans tous les sens. Les deux amis s'empressent de s'éloigner afin d'éviter les montants métalliques qui, eux aussi, sont emportés par le vent. Malheureusement, l'un d'eux atteint Deborah à une jambe, déchirant sa combinaison de plongée. La jeune femme trébuche et s'affaisse lourdement sur un amoncellement de pierres et de branches mortes. Heureusement, il n'y a pas trop de mal, mis à part sa jambe blessée par l'armature en aluminium de la tente.

— Ça va ?
— J'ai affreusement mal à la jambe.

La douleur qui, au début, était tolérable, camouflée par l'excitation du moment, s'intensifie de plus en plus.

Deborah porte la main à sa blessure. Du sang !

Conrad s'empare de sa lampe de poche, pendue à sa ceinture, et la braque aussitôt sur la jambe de sa copine. Un petit examen révèle qu'effectivement, le morceau de métal a créé une lésion. Toutefois, celle-ci semble sans trop de gravité.

— Ce n'est pas profond. Il te faut seulement un bon pansement et tout ira bien.
— Oui. Même qu'on dirait que la douleur s'en va lentement. Mais je ne sais pas si je pourrai marcher tout de suite.
— La maison n'est pas très loin. En t'appuyant sur moi, tu vas y arriver.

Deborah passe un bras autour du cou de Conrad et se met sur pieds. Avant de prendre la direction de la maison, Conrad ramasse son sac de toile dans lequel s'entassent des vêtements et divers articles nécessaires pour faire du camping de courte durée.

Tout à coup, au moment où un formidable éclair vient illuminer le sous-bois, un cri terrifiant s'élève, recouvrant même le bruit de la pluie et le sifflement du vent.

Les deux jeunes gens dirigent aussitôt leurs regards dans la direction où se trouve la maison. C'est de là que provenait le cri. Quelqu'un est en détresse.

À travers le feuillage des arbres soulevé par la véhémence des rafales, Conrad croit apercevoir une faible lueur dans le noir. Cette lumière n'y était pas auparavant.

— Mais qu'est-ce que c'était ?
— On aurait dit le cri d'une femme. Probablement celle que nous avons vue ce matin. Elle a besoin d'aide.
— Non, Conrad. N'y allons pas !
— On ne peut pas l'ignorer. Elle est peut-être en danger.

— Elle a tout simplement eu peur du tonnerre. Ça arrive souvent que des gens terrifiés par les orages crient de la sorte. Nous ne pouvons rien y faire. Regarde, il y a un gros arbre là. Nous n'avons qu'à nous réfugier endessous et laisser passer ce foutu orage de merde.

De toute évidence, c'est la peur qui fait parler Deborah de cette manière. Ce n'est pas son genre d'abandonner à son sort une personne qui a besoin d'aide. La découverte de ces cadavres au fond du fleuve l'a véritablement troublée, au point où elle est tout à fait disposée à ignorer un appel de détresse, par peur d'être confrontée à une situation encore plus traumatisante.

Conrad ne l'entend pourtant pas de cette façon. Jamais plus il ne pourrait se regarder dans un miroir après avoir refusé de secourir quelqu'un dans le malheur. Ce serait le véritable chaos sur terre si l'entraide n'existait pas.

— D'accord. Tu vas te mettre à l'abri et attendre que je revienne.
— Non, Conrad ! N'y va pas. C'est de la folie ! Tu n'as aucune idée de ce qui se passe là-bas.
— Je ne peux pas laisser cette femme livrée à elle-

même si elle est en danger.

— Je te l'ai dit. C'est l'orage qui lui fait peur ! Ça va passer, tu verras.

— Si ce n'est que ça, alors je serai très vite de retour. Il n'y a rien à craindre, ma chérie.


Devant la détermination de Conrad, la jeune femme doit s'incliner. Néanmoins, un mauvais pressentiment la tourmente. Un malheur va se produire. Ils sont en danger. Comment pourrait-elle expliquer à son copain qu'elle a raison de croire à un drame possible s'il se porte à la rescousse de cette femme ? Jamais il ne voudra changer d'idée sur une simple impression.

Deborah se laisse glisser au pied d'un arbre et, aussitôt, enfouit sa figure dans ses mains pour pleurer. Conrad est attristé de la voir ainsi. Il a le sentiment d'être soudainement devenu égoïste en ne tenant pas compte de l'état de son amie. Pourtant, il n'en est rien, c'est plutôt une question de principe, d'humanisme.


— Si tu étais en danger, je serais très heureux que quelqu'un, même un étranger, daigne te porter secours.


Intérieurement, Deborah sait que Conrad a raison mais se refuse à l'admettre, espérant ainsi le décourager de répondre à l'aveuglette à cet appel au secours. Elle s'accroche à son cou et l'embrasse. Un baiser qu'elle voudrait éternel, car elle est persuadée qu'en se rendant à la maison, ce sera le dernier.

— Sois très prudent, Conrad, et reviens-moi vite !
— Ne t'en fais pas. Tu ne te débarrasseras pas de moi aussi facilement.

Sur ce, le jeune homme s'éloigne. Deborah suit le faisceau lumineux de sa lampe de poche qui zigzague entre les arbres. Il ne lui faudra que quelques minutes à peine pour atteindre la maison. Elle sera fixée d'ici peu, à savoir si ses craintes étaient fondées ou non. Si seulement elle n'avait pas cette blessure !

Deborah secoue la tête. Elle est vraiment sotte de l'avoir laissé partir ainsi, seul. Malgré la douleur persistante, la jeune femme réussit à se mettre sur pieds. L'angoisse est une aide précieuse, dans ces cas-là, pour redonner de l'énergie et ignorer le mal.

Boitillant, elle se lance à la poursuite de son ami avec la ferme intention de le rejoindre, mais son état l'oblige à ralentir au point où elle a soudainement l'impression d'avoir été transformée en limace. Très rapidement, elle doit s'arrêter pendant quelques minutes pour s'appuyer contre un tronc d'arbre afin de reprendre son souffle et son courage. Un manège qu'elle devra sans doute répéter à plusieurs reprises avant d'atteindre son but.

Comme l'avait remarqué Conrad un peu plus tôt, une faible lumière traverse les fenêtres de la petite habitation. Par précaution, il dirige sa lampe de poche vers le sol pour éviter au maximum d'être repéré par les occupants. Mieux vaut ne pas révéler sa présence. Si tout paraît normal, il n'aura qu'à retourner auprès de Deborah pour la rassurer et la ramener avec lui afin de demander un gîte pour la nuit.

En se rapprochant à quelques mètres de la première fenêtre, Conrad distingue un homme debout près d'une table. Il a l'air tout à fait calme. Il semble discuter avec quelqu'un. Le jeune homme fait quelques pas. Une femme est assise à même le plancher, le dos appuyé sur l'un des murs de la pièce. Son visage dénote une certaine appréhension. Il ne s'agit peut-être là que d'une simple dispute de couple, comme il y en a fréquemment dans chaque foyer.

Conrad laisse encore quelques minutes s'écouler. Le cri de la femme, qu'il avait pris pour un cri de frayeur, ne devait être rien d'autre qu'un cri de rage. Malgré tout, il doit s'assurer que personne n'est en détresse. Le fait de constater que rien de fâcheux n'est arrivé va lui donner bonne conscience. Il sourit. Cette petite mésaventure sans conséquence prouvera néanmoins à sa petite amie combien il est courageux. Son ego en est ravi.

Au moment où Conrad esquisse un mouvement de volte-face, l'homme à l'intérieur avance d'un pas vers la femme toujours assise et recroquevillée.

Une certaine tension semble régner entre eux. Pendant un long moment, l'homme lève la tête vers le haut comme s'il avait été interpellé par une troisième personne, puis le ton de sa voix s'élève soudainement. Suffisamment, en tout cas, pour que Conrad entende très bien sa dernière phrase, malgré la distance et la pluie.

— Il ne faut surtout pas me prendre pour un imbécile !

Tout à coup, un objet brillant apparaît dans l'une des mains de l'homme. Un couteau ! Conrad est stupéfié.

La femme se lève lentement alors que le couteau de son vis-à-vis vient se pointer en direction de sa gorge.

D'un seul coup, Conrad voit défiler dans sa tête le fond du fleuve parsemé de boîtes métalliques contenant des cadavres. L'homme devant lui est peut-être le responsable de ces meurtres. La mise en garde de Deborah, concernant la possibilité d'un réel danger, vient brusquement lui effleurer l'esprit. Il est trop tard pour reculer.

Pendant quelques secondes, il se sent défaillir. Comment peut-il songer à se mesurer à un tel monstre ? Le courage qu'il semblait posséder, un peu plus tôt, s'évanouit pour faire place à la peur.

Quelle inconscience de sa part ! Se lancer ainsi au secours d'une inconnue, sans chercher d'aide, en sachant très bien qu'un tueur se balade dans les parages. Le chevalier sans peur et sans reproche, ce n'est pas lui, c'est un mythe.

L'espace d'une seconde, Conrad songe à tourner les talons et à rejoindre sa compagne. Contrairement à ce qu'il pensait, quelques minutes à peine auparavant, s'enfuir sur le fleuve en plein orage serait sûrement moins périlleux que de confronter ce maniaque.

Il se ravise néanmoins. Comment arriverait-il à vivre s'il abandonnait cette malheureuse à son terrible sort ! Pour l'instant, il est le seul à pouvoir intervenir dans cette situation critique, alors pas question de s'enfuir devant cette responsabilité, même si cette dernière s'avère être énorme.

Par la fenêtre il voit la prisonnière qui commence à déboutonner sa blouse. De toute évidence, le sadique a l'intention de se payer du bon temps avant de mettre fin à ses jours.

Pourquoi des monstres de cet acabit existent-ils ?

Une rage et une révolte intérieures redonnent à Conrad le courage qu'il n'aurait jamais dû perdre. Il doit reprendre confiance en ses moyens avant qu'il ne soit trop tard, car à tout moment ce meurtrier peut indubitablement enfoncer la lame de son couteau dans la gorge de sa victime.

À la vitesse de l'éclair, Conrad se rend devant la porte et, sans même vérifier si cette dernière est verrouillée, il la frappe brusquement de son pied.

Dans un fracas étourdissant, la porte s'ouvre devant lui.

Carl se retourne vivement pour faire face à l'intrus. Aucune surprise ne se lit dans ses yeux. Que de la haine, de la folie.

— Laisse cette dame tranquille !

Le rire de Carl résonne dans la pièce puis, sans prévenir, il se propulse littéralement en direction de Conrad, son arme prête à frapper. Le jeune homme l'évite de justesse et aussitôt le combat s'engage. Heureusement, Conrad est un homme de bonne corpulence et musclé. Sa jeunesse est également un atout précieux. Carl est néanmoins un adversaire coriace et extrêmement dangereux. Il n'hésitera pas à le charcuter à la première occasion. Après une esquive adroite, Conrad réussit à faire perdre le couteau à Carl et il atterrit à un mètre à peine de Claudia, toujours sous le choc d'avoir frôlé d'aussi près la mort.

Le jeune homme en profite pour frapper violemment, à plusieurs reprises, son antagoniste qui s'écroule sur le plancher. Conrad fait mine de se jeter sur lui, mais s'arrête subitement car, à sa droite, il vient d'apercevoir le corps ensanglanté de Réal Crevier. La consternation est de taille et paralyse tous ses membres. La gorge béante du cadavre lui démontre à quel point Lévesque est sans pitié et qu'il est prêt à tout pour assouvir ses bas instincts de meurtrier.

Carl profite de cette accalmie pour bondir sur ses pieds et asséner une solide droite au menton de Conrad. Ce dernier recule sous l'impact, passe par la porte grande ouverte et tombe à la renverse sur le perron. Sans perdre un seul instant, Lévesque arrache le couteau toujours fiché dans la poitrine de Crevier pour se lancer sur le jeune homme au moment où celui-ci se relève et l'atteint au flanc. Conrad échappe un cri de douleur tout en portant les mains à sa blessure, mais un autre cri, encore plus perçant, s'élève tout à coup du petit sentier. C'est Deborah !

Un sourire apparaît aussitôt sur les lèvres de Lévesque. Après s'être débarrassé du minable qui a osé se mesurer à lui, il aura deux femmes à sa merci pour satisfaire les demandes incessantes de son père, devenant de plus en plus exigeant.

Les traits du visage ravagé par la frayeur, le jeune homme esquisse un élan en direction de sa compagne dans la ferme intention de la protéger contre le monstre, même au prix de sa vie.

— Sauve-toi !

Carl récidive avec son arme, mais cette fois Conrad, qui n'avait cessé de garder un œil sur lui, l'évite avec une certaine facilité. Malheureusement, en tentant de contre-attaquer, il perd pied et tombe lourdement sur le trottoir. Il est maintenant à la merci de Lévesque, pressé d'en finir avec ce trouble-fête. De son pied, il le frappe sauvagement dans les côtes. Le souffle coupé, Conrad se tord de douleur. Il sent ses forces le quitter.

Deborah devient soudainement hystérique et, oubliant sa blessure à la jambe, se précipite sur le tueur. Carl l'a vu venir. D'un mouvement rapide, il tend le bras en avant en pointant son arme. La jeune femme s'empale sur la lame à la hauteur de l'abdomen. Sa course est stoppée sur le coup. Ses yeux exorbités se figent dans le vide. Carl continu à appliquer une pression pendant quelques secondes, puis retire le couteau du corps de la jeune noire et le dirige vers sa gorge dans le but évident de la lui trancher, sous les yeux ahuris de son amoureux, impuissant.

— Nonnnnnnnn !

Pourtant, la lame meurtrière n'atteint pas la jeune femme. Carl sursaute violemment. Une terrible douleur à l'épaule le paralyse. Lentement il se retourne.

Claudia est là, plantée devant lui, un couteau à la main. Rageusement, elle frappe une seconde fois le monstre. La lame s'enfonce dans le flanc droit de Lévesque.

— Pourquoi, Claudia ?

Dans ses yeux s'installent une grande tristesse,

une profonde déception.

Pourquoi celle qu'il aime s'en prend-elle à lui? Pourquoi, au lieu de l'aider, vient-elle l'empêcher d'éliminer ceux qui tentent de les séparer et de leur interdire le bonheur?

— Parce que tu es un monstre!

Il demeure chancelant un instant en hochant la tête négativement, puis s'affaisse sur le sol détrempé, inerte. Les quelques soubresauts qu'effectue son corps incite la jeune femme à garder ses distances, de peur que cet être diabolique ne reprenne vie et qu'il l'assaille de nouveau.

Au bout de quelques secondes, épuisée, Claudia tombe à genoux en laissant échapper un long soupir de soulagement. Elle se réjouit que, malgré sa frêle stature, elle soit parvenue à vaincre définitivement ce prédateur dont la déviance a coûté la vie à de nombreux innocents.

# Chapitre 18

L'orage fuit rapidement le lieu du drame. La pluie diminue peu à peu et s'arrête totalement. Dans quelques heures, le jour viendra donner un visage nouveau à cette scène macabre où les corps des acteurs jonchent le sol.

Claudia reste agenouillée, sans faire le moindre geste, encore sous l'emprise des souvenirs de cette horrible journée qui viendront hanter ses nuits jusqu'à la fin de sa vie. Elle frissonne à la seule pensée que ce monstre soit tombé amoureux d'elle. Que se serait-il passé si ce jeune homme inconnu n'était pas intervenu ? Un viol assuré. Néanmoins, Deborah ne serait pas morte.

Claudia enfouit son visage entre ses mains. C'est à cause d'elle que tout ceci s'est produit. N'eût été de son entêtement à vouloir vivre sa solitude dans cette région, rien de tout ça ne serait arrivé. Par contre, ce maniaque de Lévesque aurait pu continuer à sévir sur le fleuve encore pendant longtemps.

La jeune femme s'accroche à cette idée. Sa venue a au moins servi à mettre un terme aux agissements monstrueux de Carl Lévesque. Les photos de combien de femmes encore auraient été accrochées au mur de l'antre de ce démon? D'avoir mis un terme à cette ignoble collection est en soi une consolation à ne pas négliger.

Claudia lève les yeux. Dans son regard, jusqu'ici plongé dans le néant, brille un semblant de satisfaction. Elle serre les lèvres en dodelinant légèrement la tête, comme pour se convaincre que sa décision d'être accompagnée par Lévesque a servi en quelque sorte à délivrer la région de ce fléau.

Au loin, sur le fleuve, deux lumières sautillantes convergent vers l'île.

Des secours!

Claudia bondit sur ses pieds, prête à dévaler le sentier. Pourtant, elle hésite. Un débat se déroule dans sa tête. Son esprit est partagé entre le fait d'agir en bonne citoyenne et celui de profiter de la situation pour mousser sa carrière. Il y a suffisamment de preuves ici pour que le vrai visage de Lévesque soit mis à jour.

Claudia fait volte-face et se propulse vers la porte de la maison. Le cadavre de Crevier lui donne la chair de poule, mais sans plus, trop désireuse de récupérer ce qui pourrait lui apporter la gloire.

Rapidement, elle s'empare des deux cassettes posées sur la table et les enfouit aussitôt dans sa valise, les dissimulant sous une pile de vêtements.

Après un dernier regard autour de la pièce, elle quitte enfin la maison.

Des halètements ténus attirent son attention. Elle s'approche de Conrad.

Il est vivant !

Avec empressement, Claudia se penche au-dessus du jeune homme au moment même où celui-ci ouvre les yeux.

— Deborah !
— Je ne suis pas Deborah. Non.

Conrad tente de se lever, mais Claudia l'en empêche. De toute évidence, il veut s'enquérir de la condition de sa copine. Faire trop d'efforts, pour l'instant, pourrait le tuer.

— Ne bouge pas. Les secours arrivent. Ils vont te soigner.

— Je veux la voir !

— Tu n'y peux plus rien. Je suis désolée.

Des larmes surgissent des yeux de Conrad. La douleur provoquée par cette révélation le dévore davantage que sa blessure qui semble, somme toute, superficielle. Deborah a perdu la vie pour sauver la sienne. Ce n'est pas juste.

Claudia aurait voulu trouver des mots réconfortants pour calmer sa peine, mais elle n'y arrive pas, encore trop perturbée par tous ces événements.

Elle tend le bras et s'empare de la lampe de poche, encore allumée, qui traîne sur le trottoir. Une fois sur ses pieds, elle regarde avec compassion le pauvre jeune homme qui ne cesse de pleurer toute sa peine. Des grognements de rage viennent entrecouper, par moment, ses sanglots.

— Ne fais pas d'efforts inutiles. Je reviens avec les secours.

Claudia se saisit de sa valise et file aussitôt sur le sentier. Une fois sur le quai, elle pourra faire des signaux aux embarcations qui se rapprochent de plus en plus. Le cauchemar va enfin se terminer. Retrouver au plus tôt la quiétude de son appartement, c'est tout ce qui importe pour l'instant.

Avec de grands gestes circulaires, Claudia espère de tout cœur attirer l'attention des secouristes pour leur indiquer sa position.

Ils ne sont plus qu'à deux ou trois cents mètres. Leurs phares aveuglants la frappent de plein fouet. Claudia baisse les bras. Une grande lassitude s'empare de son corps. Toute cette anxiété, cette nervosité, accumulées durant ces dernières heures, semblent la quitter d'un seul coup.

Par le fait d'avoir côtoyé la mort et de l'avoir frôlée elle-même, elle en sera assurément affectée pour le reste de son existence. Jamais plus elle ne prendra à la légère ces meurtres commis par des êtres aussi odieux que Carl Lévesque. Elle se doit de transmettre au monde entier cette crainte et cette méfiance nécessairse pour éviter de se retrouver dans les faits divers d'un journal quelconque.

Soudain, au moment où Claudia croit qu'elle est en train de vivre la dernière page de son roman, un coup de feu étrange retentit derrière elle.

Vivement, la jeune femme se retourne vers la maison. Au début, elle ne voit rien, puis tout à coup, une lueur rougeâtre apparaît à la fenêtre du hangar. En quelques secondes à peine, les flammes prennent des proportions incroyables.

— Mon Dieu ! Qu'est-ce qui se passe ?

Les deux embarcations de la Sûreté du Québec atteignent le quai et viennent s'amarrer près du yacht de Réal Crevier.

— Vous n'avez rien ?
— Non. Moi ça va. Mais il y a des morts et un blessé là-haut. Vite ! Il faut l'aider.

En prononçant ces mots, Claudia aperçoit sur le plateau une forme humaine qui se dresse et, en titubant, se dirige vers la lisière d'arbres derrière le hangar. Il ne s'agit peut-être que de son imagination car, d'un coup d'œil rapide, la jeune femme constate que ses sauveteurs, affairés à revêtir des gilets pare-balles, ne semblent pas avoir vu cette ombre mystérieuse.

Au pas de course et arme au poing, trois policiers s'empressent de gravir le sentier de sable menant à l'antre du prédateur.

— Montez à bord, Madame.

Une policière tend une main vers Claudia pour l'aider à enjamber le rebord du yacht dans lequel elle se trouve. Au moment où la jeune femme rejoint l'agent, une formidable déflagration la fait sursauter. Devant les yeux des deux femmes, le hangar est littéralement pulvérisé par l'explosion. Les policiers, lancés au secours de Conrad, sont projetés au sol. Heureusement, aucun d'eux ne semble blessé puisqu'ils se relèvent aussitôt. Une pluie de débris enflammés s'abat, tel un feu d'artifice, allumant des foyers ici et là aux alentours.

La policière se saisit de son téléphone cellulaire et compose nerveusement un numéro.

— Ici l'agent Caron. Il y a un incendie qui fait rage sur l'Île aux Épaves. Envoyez-nous du renfort. Dépêchez-vous !

Soudain, comme un fétu de paille, la maison de Lévesque prend feu et, en quelques secondes, elle est enveloppée par les flammes.

— Ce n'est pas possible ! Un incendie ne peut pas

prendre autant d'ampleur en si peu de temps !

— À moins qu'il n'y ait des accélérants.

Claudia regarde la policière d'un air intrigué. Le ton de sa voix est accusateur. Elle n'apprécie pas du tout. Ce n'est tout de même pas elle qui a mis le feu, elle se trouvait sur le quai quand tout a débuté. Cette conne devrait pourtant le savoir. Elle était visible aux policiers à ce moment-là.

L'agent Caron se rend compte que sa dernière intervention n'a pas plu à Claudia. Ses paroles ont été mal interprétées, tout simplement.

— Je ne vous accuse aucunement, Madame. Je dis qu'il n'y a que des accélérants pour embraser ainsi une habitation.

— Eh bien ! J'y suis pour rien. Je n'ai pas mis le feu.

— Je sais, oui. C'est une fusée éclairante qui a fait ça. Nous avons vu quelqu'un en tirer une à travers la fenêtre du hangar.

— Et l'explosion ?

— Un, ou des réservoirs d'essence. La plupart de ces chalets, que l'on voit sur les îles, sont équipés d'une génératrice. Les propriétaires se munissent de réservoirs à essence.

Avant même que l'agent Caron ne termine son explication, ses trois collègues arrivent en trombe, toussant, haletant. L'un d'eux a du sang sur sa chemise. Un morceau de bois d'une quinzaine de centimètres s'est fiché dans son épaule, juste à la lisière de son vêtement pare-balles.

— Où est le blessé? Il y avait un jeune homme blessé devant la maison.

L'un des policiers s'approche de Claudia. Son regard en dit long. De toute évidence, ils n'ont pas pu le secourir.

— Nous avons vu deux corps. Mais avant même que l'on puisse faire quoi que ce soit, ils se sont embrasés, en même temps que la maison. La chaleur était trop intense pour pouvoir intervenir. Je suis sincèrement désolé. C'était un ami?

Deux corps! Il devrait pourtant y en avoir trois! Il ne s'agissait donc pas de son imagination lorsqu'elle a cru voir une ombre s'éloigner du lieu du crime. L'espace d'une seconde, elle est tentée de révéler ce fait aux policiers mais décide finalement de se taire

— Non. Je ne le connaissais pas. Mais il m'a sauvé la vie.

Dans la tête de Claudia, les paroles de l'agent Caron refont surface. Il n'y a qu'avec des accélérants qu'un feu puisse ainsi se développer avec autant de rapidité. Quelqu'un a versé de l'essence sur les corps. Une personne qui a tout à gagner à faire disparaître les moindres traces de son passage.

Carl Lévesque !

Claudia se ravise. Ça ne peut pas être lui, elle l'a vu mourir sous ses yeux. À moins qu'il l'ait tout simplement dupée.

Et si c'était celui qui l'a sauvée ? La mort de la dénommée Deborah l'aura affecté au point où sa rage lui a fait perdre tout contrôle.

— Gagnon ! Monte avec André. Il ira te conduire à l'hôpital. Margot ! Amène cette dame au poste pour sa déposition. Moi, je reste ici à attendre les renforts. J'en profiterai pour examiner ces yachts. Plus tôt dans la soirée, il paraît qu'un certain agent Letendre s'est rendu sur cette île en compagnie du présumé meurtrier.

Tout en prononçant ces paroles, le policier pose un regard interrogateur sur Claudia qui reste muette un long moment. Elle n'a tout simplement pas envie de se lancer dans un récit que ces policiers auraient de la difficulté à croire.

— Tout ce que j'ai à dire, pour l'instant, c'est que cet agent Letendre n'est pas venu sur l'île. Mis à part, un jeune couple et Carl Lévesque, il n'y a que Réal Crevier qui se soit pointé ici.

— Crevier était l'un des corps étendus devant la maison ?

— Non.

— Je ne peux pas croire que ce meurtrier s'en soit tiré !

— Il est mort. Son corps est à l'intérieur. Mais Réal Crevier n'est pas le tueur.

Le policier sursaute. Tous les indices connus conduisent l'enquête, sur le prédateur du fleuve, à Réal Crevier. En plus, les deux jeunes qui sont venus au poste pour raconter une histoire abracadabrante concernant de mystérieuses boîtes métalliques ont affirmé que c'était lui, le tueur. C'est lui qu'ils tentaient de retrouver mais, ne le voyant nulle part sur son île, ils ont décidé de visiter les îles environnantes.

— Carl Lévesque est celui que vous recherchez!

Claudia baisse la tête. L'évocation du nom de ce monstre la fait frissonner terriblement.

Malgré sa surprise, le policier qui aurait pourtant tellement de questions à poser à la jeune femme, est conscient que ces événements l'ont trop ébranlée pour y répondre. Elle a surtout besoin de repos pour l'instant.

— Allez, Margot. Amène-la au poste et offre-lui un café chaud. Je crois qu'elle a besoin de relaxer.

# Chapitre 19

Dans sa déposition, Claudia a affirmé que Carl Lévesque, le prédateur du fleuve, est mort sur l'Île aux Épaves, tué de sa propre main. Elle a raconté fidèlement les événements qui se sont déroulés depuis son arrivée au Marinier jusqu'à ce que les secours viennent la délivrer de cette île maudite, le lendemain. Sauf pour deux détails. Jamais elle n'a fait allusion aux deux cassettes audio que Lévesque lui a remises. Elle n'a pas mentionné non plus le fait d'avoir aperçu une forme humaine quitter la scène au moment où le feu faisait son apparition dans le hangar.

L'incendie a totalement dévasté l'île. Les corps des victimes n'ont pu être correctement identifiés, ayant été réduits en cendre et recouverts par les débris de la maison qui s'est effondrée sur eux. Même le nombre de victimes n'a pas encore été déterminé avec exactitude et la personne qui a tout déclenché, en tirant une fusée éclairante dans le hangar, fait probablement partie de celles-ci. Certains experts ont émis l'hypothèse qu'il y ait eu de la dynamite dissimulée ici et là, dans le hangar et la maison. Ce qui expliquerait les nombreuses explosions.

Selon François Rochon et Julie Sauvé, leurs compagnons de plongée devaient se rendre sur cette île pour y passer la nuit. Néanmoins leur embarcation est restée introuvable. Seules les paroles de Claudia prouvent que ce couple était bel et bien sur l'île. Tout repose sur sa déposition.

Le cadavre de Sylvain Letendre a été repêché au matin, alors que les policiers inspectaient le yacht de Réal Crevier. Claudia a affirmé avoir ignoré la présence de ce policier. Le second yacht, amarré un peu en retrait du quai, a été fouillé minutieusement sans toutefois révéler quoi que soit concernant son propriétaire.

Périodiquement la jeune femme a subi des interrogatoires concernant cette histoire. Plusieurs fois, elle a eu l'impression que certains policiers mettaient en doute la véracité de son récit. Non pas qu'ils la croyaient coupable, mais en raison des terribles événements qu'elle avait vécus, son psychisme aurait pu être affecté suffisamment pour omettre ou déformer certains détails de ce qui s'était réellement passé cette journée-là, car même les tenanciers du Marinier ont déclaré ne pas avoir été au courant que Carl Lévesque devait accompagner l'écrivaine sur le fleuve. Un mensonge qui avait sûrement pour but de protéger l'intégrité de celui qu'ils avaient toujours considéré comme leur fils.

L'enquête se poursuit, mais cela prendra des mois et des mois avant d'en arriver à un semblant de conclusion plausible. Il est même à envisager que peut-être la lumière ne sera jamais faite sur cette affaire, du moins, pas avant de pouvoir identifier clairement les restes des corps calcinés et déchiquetés trouvés jusqu'ici sur l'île.

Néanmoins, vingt-deux boîtes métalliques contenant des cadavres ont pu être retirées des eaux du fleuve aux alentours de l'Île du Passant, ce qui a eu pour effet d'incriminer davantage Réal Crevier. Jusqu'à ce jour, ce dernier demeure le principal suspect dans cette histoire de prédateur.

« 4 mois plus tard »

Attablées dans un restaurant huppé de Montréal, un petit groupe de personnes attendent impatiemment l'arrivée de l'héroïne du jour.

Elle arrive enfin !

Les applaudissements fusent de toutes parts. L'équipe de l'Édition du Mystère au grand complet a tenu à accueillir Claudia au moment de la parution de son roman « Pulsions meurtrières ». Les critiques sont unanimes pour dire qu'il s'agit là d'une œuvre qui atteindra des records de ventes. « Les meurtres décrits dans ce roman sont d'un tel réalisme qu'on dirait que l'auteure elle-même y a assisté ».

Évidemment, Claudia est heureuse du résultat, mais elle n'arrive pas à goûter pleinement son bonheur. L'ombre des souvenirs plane toujours sur elle, que ce soit le jour ou la nuit. De plus, la jeune femme a dissimulé des preuves aux policiers, ce qui n'aide en rien à lui procurer une tranquillité d'esprit. Les cassettes audio enregistrées par Lévesque auraient servi à élucider plusieurs disparitions si elle avait divulgué leur existence. Elle a commis un délit impardonnable en ne dévoilant pas les preuves contenues sur ces cassettes.

Peut-être qu'un jour elle aura à rendre des comptes pour ce méfait.

Comme à son habitude dans ces moments-là, Claudia secoue la tête. Ce n'est vraiment pas le moment de se culpabiliser. Pour l'instant, le plus important est de trinquer, en compagnie de ses amis, au futur succès de son roman.

Son éditeur, Martin Jutras, est tout à fait disposé à prolonger son contrat. L'offre est alléchante, mais Claudia désire prendre tout le temps nécessaire avant d'accepter. À nouveau, elle veut remettre sa carrière en question. Tous ces meurtres qu'elle a si bien décrits l'ont grandement affectée et c'est précisément pour cette raison qu'elle n'est pas encore décidée de continuer dans la même veine.

— Prends le temps d'y réfléchir sérieusement, Claudia. Mais j'espère sincèrement que tu accepteras mon offre.
— Ne t'en fais pas, Martin. Tu seras le premier à connaître ma décision.

Jutras lui sourit tendrement. Il a toujours cru en son talent, contrairement à la jeune femme qui n'en était pas entièrement convaincue. Son expérience dans le domaine de l'édition lui procure un sixième sens, une perception. Il voit en Claudia une écrivaine de grande renommée. D'ailleurs, la vitesse avec laquelle elle a pondu un roman d'aussi bonne qualité le prouve.

La parution de ce dernier doit être fêtée comme il se doit. Jutras sait que sa protégée n'affectionne pas particulièrement l'alcool, mais pour une fois, elle devra faire une exception.

D'un signe de la main, il interpelle une serveuse et, sans tarder, lui glisse quelques mots à l'oreille. Souriante, elle hoche la tête, puis disparaît derrière le bar.

Solennellement, Jutras se lève et invite les huit personnes présentes à l'imiter pour porter un « toast » en l'honneur de Claudia. Une auteure qui, selon lui, raflera une bonne partie des prix littéraires dans la prochaine année.

Demeurée assise, Claudia écoute avec attention Martin qui ne tarit pas d'éloges à son endroit. Maintenant qu'elle a repris confiance en ses possibilités, elle les accepte avec une pointe d'orgueil.

Claudia tourne la tête. À l'autre bout du restaurant, une serveuse s'engage dans l'allée menant à leur table. Dans sa main, un plateau contenant un verre. Un verre rempli d'une boisson bleu azur.

Claudia la regarde s'approcher d'elle. Son sourire s'éteint sur ses lèvres. Jutras semble embêté et jette un regard de reproches à la serveuse.

— Ce n'est pas ce que j'ai commandé ! J'ai dit : « un cognac » ! Pas un « Blue Lagoon » !

La serveuse dépose le plateau devant Claudia. Près du verre, une petite carte.

— C'est ce monsieur, là-bas, qui l'offre à mademoiselle Bernard.

Les regards se dirigent instantanément vers l'endroit indiqué par la serveuse. Personne ! Le mystérieux admirateur a disparu.

Hésitante, Claudia saisit la carte. Elle se sent défaillir. Son cœur s'accélère.

Sur la carte, quelques mots. Des mots qui portent néanmoins tout le poids de son destin.

## Au sujet de l'auteur

Pierre Cusson est né le 7 décembre 1951 à Ste-Martine en Montérégie et c'est d'ailleurs encore dans cette municipalité qu'il vit aujourd'hui.

Toute son enfance fut accompagnée principalement par Hergé, Jules Verne et Henri Vernes, et ceux-ci contribuèrent grandement au développement de son imagination déjà fertile.

Durant plusieurs années, Pierre écrivit quelques romans et de nombreux poèmes avant de cesser toute activité littéraire pour se consacrer entièrement à sa famille et à son travail.

Ce n'est qu'une quinzaine d'années plus tard qu'il reprit goût à l'écriture pour acquiescer à la demande de l'aînée de ses quatre enfants.

Naquirent alors des romans d'horreur, de science-fiction, de suspense, ainsi que des nouvelles de différents genres, des poèmes et des chansons.

# Table des matières

**MARQUIS**

Québec, Canada